人類滅亡からの脱却

継続性ある社会のために

石山 和男

はじめに

私たち人類は、現在その生存を脅かす大小さまざまな問題を抱えるに至っています。大きくは環境、エネルギー、社会システム等の問題ですが、例えば国内では、異常気象や災害、原発、少子高齢化、データの改ざんや忖度、その他。また国際的にも、地球温暖化・気候変動、ポピュリズムの台頭、権威主義の波、中国の一帯一路、北朝鮮やイラン他の核・ミサイル開発、シリアの内戦や難民、ＩＳ関連のテロ、イギリスのＥＵ離脱、米中覇権戦争、パナマ文書、日韓関係、そして新型コロナウイルスまで。今や世界中の国々が混乱の中にある状況です。

そのような混乱をもたらしたものは何か。大胆にいえば、人がこれまで築いてきた文明の方向に誤りがあった、ということではないでしょうか。

これまで、より快適に、より有意義に、より健康に……との思いで取組んできたことに綻びが出てきた、ということのように思えますが、その始まりは最近のことではありません。

聖徳太子の十七条憲法の五に曰はくには、「貪りを絶ち欲を棄てて、明かに訴えをさだめよ。……この頃訴えを治むる者、利を得るを常と為し、賄を見て訴えを聴く。……」とあり、この時代既に、憲法に盛り込む程の問題であった事を伺わせます。

そして一八世紀の産業革命は、文明の在り方に決定的な方向付けをした一つのエポックともいえるでしょう。これによって資本主義経済が形作られ、特に現在の西側諸国が繁栄を得ました。人々が資本家を通して職を得、生活が向上し、そして国力がついたのは事実でしょう。

近代化のもと、科学技術の発達と共に基盤整備がなされ生活の利便性が増し、人や物・情報の行き来に弾みがつき、日々の暮らしのレベルアップとともに活気や明るさがみなぎってきたのです。

そのような状況がこのまま右肩上がりの状態で続くかに思われましたが、二〇世紀中頃には懐疑的な見方が始まっていました。一つには、物質的な豊かさのなかで置き去りにされている大事なことがある、という気付きです。

また、このような文明の在り方ではオイルがやがては底を突く、ということもいわれていましたし、公害という問題も話題になり始めていました。

アメリカの生物学者レイチェル＝カーソンの『沈黙の春』が発表されたのは一九六二年であり、一九七二年にはローマクラブから『成長の限界』が出版されています。さらに二〇〇七年、アメリカの副大統領も務めたアル・ゴアは著書名にもした『不都合な真実』として、地球温暖化がもたらす様々な問題を訴えました。

そして、それらの指摘は、そのような予感の結果として冒頭に記したような事実として現われているといえるでしょう。

私たちが繁栄と思って進めてきたことには落とし穴があった、ということではないでしょうか。

一つには、私たちの作る文明を人自身の立場からのみ見ていたため、地球規模での姿が見えにくかった、ということがあるでしょう。また、技術の進歩による便利さの享受を、時代の発展と受け止めたこともあるでしょう。

更に、世相に危うさを感じ、このままで良いのだろうかと不安には思うものの、率先して何かに取り組むということはなく、何となく過ごしてきたという側面も大きいでしょう。

政治家も資本家も、自分の立場を悪くしてまで問題点を追及する方向には目を向けたくなかったのですし、私たち自身も生活を犠牲にしかねない方向への見方はしたくなかったのです。まさに不都合な真実です。

私たちの社会は、私たちの立場からの視点で作り上げれば良いというのではなく、地球をシステムとして捉えた在り方を求めなければ成り立たないことを、思い知らされているという実態なのではないでしょうか。そのようなことは、私たちが物を作り出している産業的な分野だけでなく、その影響を受ける気候などをも含めた全地球的問題としていえるのでしょう。

そのとき、私たちが繁栄と思って受け入れ築いてきた文明は実は虚構であり、心の劣化を伴う継続性に乏しい文明の道を歩んでいた、ということにはならないだろうかと、案じられます。それは、近年のグローバルヒストリー的視点からも、そのようにいえるように思われるのです。

もしそうであるならば私たちは、何時しか人類滅亡への道を歩んでいたことにもなります。そのようなとき、果たしてそこには手立てがあるのでしょうか。ＡＩは虚構ではなく、私たちを幸せの世界へと導いてくれるのでしょうか。

そして、それらの問題に大きく係わっているのが、心の在り方であるように思われます。人が社会をつくりますが、社会も人をつくります。その行方は、特にこの百年、退廃的な方向に加速していたように思えてなりません。人が社会を作るのは人の心がつくるのです。

例えばこの間の、物造りの世界での変化を「作る技術が無くなっている、中味が希薄になっている」等と感じる一方、それは「新たな技術や価値観への移行での簡素化・効率化の現われであり、それが時代の進歩である」という受け止め方もあります。

この種のことは他の分野でもいえて、社会の価値観は両面性をもっているということでしょうが、問題は、その価値観が人をつくり、社会をつくるということです。

イスラエルの歴史学者ユヴァル・ノア・ハラリは著書『ホモ・デウス』の中で、「すべてのモノのインターネット」が軌道に乗った暁の、人の立場に思いを巡らせていますが、時代がそのようなことを課題としていることの現われでもあるでしょう。また、世界中を汚染した新型コロナウイルスは、文明の在り方の反省を促しているようでもあります。

ここではそのような趨勢の一端として「私たちの生き方」を主題に、先ず、私たちの生存を支えている自然に思いを寄せ、その仕組みを「宇宙の成立ち」として読み解き、次に、その宇宙の中における人の存在理由を「人とは何者か」として問い、そして「人間の分際」として、宇宙の一員としての立場での真の役割を求めることで、継続性のある私たちの姿を探ってみたいと思います。

俄かには了解しがたい内容もあろうかとは思いますが、私たちは今や、むしろ早急に、視点の切り替えを求められているところにきていると危惧されるのです。

まさに「人類滅亡からの脱却」〜継続性ある社会のために〜が問われています。

令和二年六月

石山 和男

人類滅亡からの脱却

目次

はじめに　3

第Ⅰ部　宇宙の成立ち……13

一　全ては一個である　14
一個とは／細胞について／免疫

二　相対と反応系　21
相対について／間／反応系を司るもの／呼吸代謝と光合成／土壌の中での反応系と腸

三　周期　42
周期について／周期律／細胞周期／社会における周期性／宇宙の周期

第Ⅱ部　人とは何者か……55

一　人の位置　56
系統樹からみえること／食物連鎖を考えると／優性遺伝子支配／唯識／自然界における人の位置

二　人の特性　72
社会性／脳という機能体／自然との係わりのなかで
三　現代社会の諸相　85
相対感の欠如／効率・利便性の優先／格差社会の弊害／多難な現代／閉塞感の回避

第Ⅲ部　人間の分際……115

一　個・相対・反応系の意味するもの　116
宇宙論的証明／無形宇宙から有形宇宙へ／〈かたち〉の成り立ち／東洋思想と日本文化／周期性から空そして情報
二　継続性のある循環型社会とは　162
資源の枯渇・環境破壊というメッセージ／地球システムの崩壊・構築／宇宙の歩みは劣化の方向か／科学の限界／「データ教」
三　人ならばこそ…全ての源・心　184
情報を生み出す想像、想像・創造を生みだす心／向上型循環とコロナウイルス／ヨーガ／音について／人間の分際

おわりに　228
参考図書　232

第Ⅰ部　宇宙の成立ち

私たちは自然の中に生きています。その自然には仕組があり、その仕組を無視して生きていくことはできません。例えば、水や空気がなければ生きられませんし、植物なしで命を継続することもできません。水も空気も植物も、太陽があったればこそであり、季節の移り変わりを含めて、それらは、反応しあう機能に支えられての結果であるといえます。

普段当たり前と思っていることが、実は秩序として仕組まれていることに気付かされます。改めて振り返ってみると、自然の摂理とは、存在が反応し合い次が生まれ、それらが反応し合いその次が生まれ、という繰返しのもと生まれた結果の姿のことであろうと思われます。そして、そのような一まとまりとして成立したのが、生態系でありこの宇宙であるといえるのではないでしょうか。

ここでは、宇宙の仕組はそのようにして生まれたのであろうと思われることに対して、一個、相対、反応系、周期という面に視点を当てて、その成り立ちを探ってみることにします。

一　全ては一個である

一個とは

一人一人の体そのものを、それぞれ他とは違う一つの個であると、みることができるでしょう。Aさんの体もBさんの体もそれぞれ一つの個とみることができます。また、その体を構成する胃も腸も心臓も、一つの個であるとみることができます。では、その胃や腸や心臓を作っている細胞の一つ一つも、一つの個であるといえるのでしょうか。

細胞を作っているのは分子であり原子ですが、その原子を構成している素粒子のクォークやレプトンのそれぞれ全てが全く同じであれば、それらが集合してできる原子はみな同じ原子となりますが、クォークやレプトンは瞬間ごとの場の違いにより常に変化しているので、それらが集合した原子はそれぞれが違う一つの個である、となります。ということは、それぞれが違う一つの個である原子が集合した分子もそれぞれが違う一つの個であるので、細胞も二つとない一つの個であるといえます。

人間を含めた動物だけではなく、植物、建築物や自動車、飛行機、船、家電製品、家具……そして、物とは限らない家庭、会社、地域、国、世界……も全て同じように、例えば人体がそうである如く、一つの個が階層的に組み合わさってできているとみることができます。

このとき、階層的に存在するそれぞれの一つの個は、あくまでも一つの個として存在し続けます。例えば、水素二つと酸素一つで水になるとき、水になった水素や酸素は水になる前の水素、酸素とは違っているのか、違う要素が生まれることによって水となったのか、といえばそんなことはなく、水になる前の水素、酸素と同じです。素性が変り、溶け合って新しい違った個になるというのではなくて、どこまでも一つの個を維持し続け、そのまま次の階層の個の一部となる、ということがミソでしょう。

このように、私たちの世界は一つの個の集合から成り、この一つ一つの個を指して、独立した一つの個との意味を込めて〝一個（いちこ）〟ということにします。いい換えれば、全ての一個には内容の違いがある、ということになり「それぞれが世界で一つだけの花」でもあるし、医師であり解剖学者でもある養老孟司流にいえば「世界は違いに充ちている」ということになるし、水も空気も電気も違う一個の集合であるといえます。

細胞について

次に、生物を成立させている基本的な単位としての細胞を見てみることにします。

それぞれの生物は、諸器官の集合のもとに一個としての機能を果たしていますし、諸器官も細胞の集合として成立しています。一つの生命体には一個としての存在と継続の機能が備わっていますが、先ずは細胞を形態と機能の面から見てみることにします。その細胞の基本的な構成は植物も動物も同じですが、ここでは動物の真核細胞を中心にして見てみることにします。

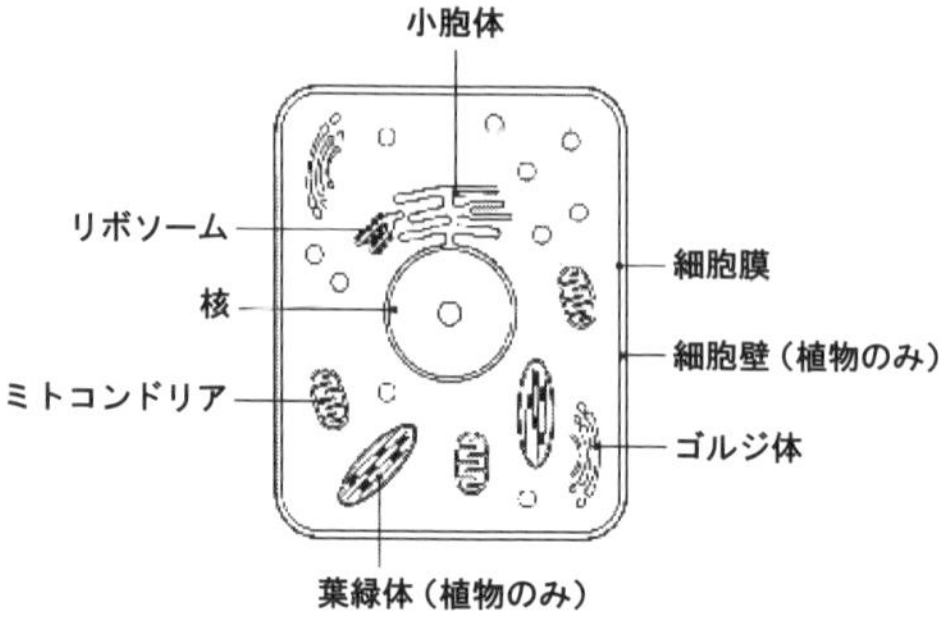

①細胞概念図

細胞という一つの個を、一つの単位として形成する細胞膜は二重層からなり、その内側は疎水性であり外側は親水性です。細胞内は細胞質ゾルで満たされ、核をはじめリボソーム、小胞体、ゴルジ体、ミトコンドリアなどの細胞小器官がありますが、葉緑体があるのは植物のみです。細胞壁も植物にのみあり、多糖からなり細胞膜の外側を覆っています。（①図参照）

これらの表皮を外部との接点として、環境の情報を取り込み或（あるい）は、イオンなどに対して緩衝作用をなし、内部を一個として守るための機能が二重膜です。細胞の一つ一つの機能は核にあるＤＮＡの作用によって違いが生まれるということもあり、各細胞は二つとない一個であるとなります。因みに人の場合、

60兆個～の細胞からなるといわれています。

核も細胞と同じように二重の膜で覆われていて、遺伝情報としての染色体と核小体を持ち、物質代謝をコントロールしています。遺伝情報はDNAという形で保持しますが、DNAは二重らせんの構造を有し、その一本ずつはデオキシリボースという五角形をした糖がリン酸を介して紐状に連続したものを基本形とします。そして、その紐状の二本を塩基同士で結合し二重になったものがDNAですが、このとき結び合う塩基には4種あり、アデニン（②図A）に対してチミン（同T）、グアニン（同G）に対してはシトシン（同C）が結びつきます。

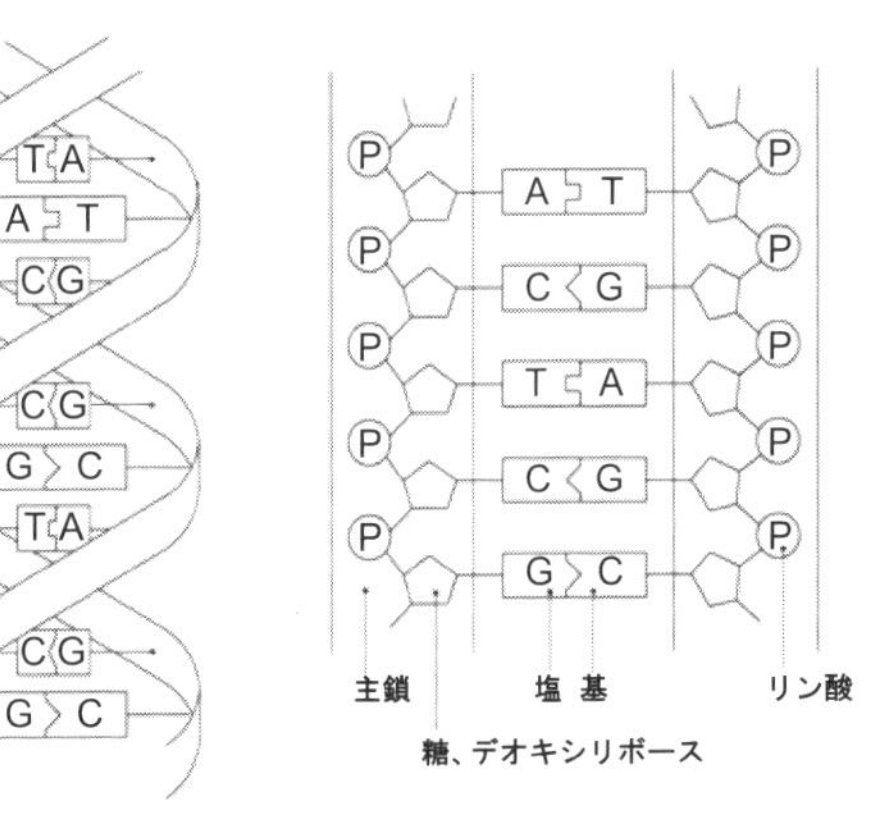

②DNAの二重らせん構造

遺伝情報とは、この塩基の配列が全体でどのようであるかであり、この二重らせんを折りたたみ折りたたみしたものが染色体で、ヒトの場合は四六本です。そして、この遺伝情報を各細胞から出しあい反応させ、生命体としてのコントロールをしているのです。

真核生物の細胞小器官であるミトコンドリアも二重膜で構成されていますが、内膜は表面積をより多く確保するためカーテンのヒダが多数重なったようなクリステと呼ばれる状態になっていて、葉緑体のチラコイドに似ています。内膜で囲まれた内腔をマトリックスといいます。このミトコンドリアではエネルギーが作られており、細胞内での数はそのエネルギー消費量を反映しています。例えば、心筋細胞に多く、木では枝分かれをするところに多いのです。

当初は好気性微生物として単独で存在していたのですが、酸素を活用できなかった原生物がこれを取り込み共生を始めたものといわれ、ミトコンドリアの中にも核があります。

「細胞は細胞からしか生れない」とは、自然発生的に生れるということではなく、分裂することによって生れるということです。

免疫――個を守る機能

例えば人の場合、内なる外、つまり口から入って食道を通り胃、腸、排泄という経路は、外部からの異物が侵入しやすいところですので、生体防御としての多くの機能が備わっていますし、これ以外の内なる内にも、万が一入った異物に対する機能が備わっています。

人には、生まれて間もなく〝自己〟が確立され、〝自己でないもの〟と判断できるものが体内に入ることによるマイナスから身を守ろうとする仕組みがあり、これを免疫といいます。その仕組みがどのようにして〝自己〟と〝非自己〟を見分けるのかは大いに興味のあるところですが、この仕組みがあることによって、一個たる人が守られ存在できているという基本的な機能です。

その一個を守る免疫の仕組みには最初から備わっている機能のほかに、体内に入ったウイルスやそれに侵された細胞を破壊するＮＫ細胞やマクロファージなどのように、後になって得た獲得免疫という仕組みもあります。

アトピーや花粉症は、非自己たる侵入者を排除し自己を守ろうとする反応としての症状です。また、臓器移植の課題の一つも、どのようにして免疫機構に他人の臓器を自分の一部と見做して受け入れさせるか、或は害のない新物質であると判断させるかです。

免疫学者多田富雄のＮＨＫ人間大学講座テキスト『免疫・「自己」と「非自己」の科学』には、フランス人ニコル・ル・ドゥァランと絹谷政江の両博士が行った次のような共同実験が紹介されています。

受精後数日のニワトリの卵にウズラの脳胞を移植するとどうなるか、というものですが、それによると、移植された脳が一定以上を占めた場合には、そのニワトリはウズラ型の行動様式になりウズラの鳴きかたをするが、やがてニワトリは眠りがちとなり数週間以内に死んでしまう、ということです。ニワトリの免疫系が働き、脳を異物とみなして排除したということでしょう。

人以外の動植物は一度かかった病気には二度とかからないといいますが、この免疫機能が働き抗体を獲得するからでしょう。人の場合は薬や注射で治してしまい、抗体の獲得までには至らないゆえ、次に同じ病気にかかっても同じように薬や注射で対応し、繰り返すうちに抗原の方が強くなるという結果を招きがちでもあります。東南アジアの国でマラリアが大発生したときに、国を挙げての撲滅作戦を展開したところ、一度は見事に収束させることができました。が、二～三年後にはそのときの殺虫剤に強い免疫を持った蚊が発生して却って事態を難しくしてしまった、ということがあったのも、蚊の側の命の継続を守る免疫が勝ってのことでしょう。

人の場合その免疫に係るのは自律神経です。自律神経は交感神経と副交感神経がセットで働き、体温や呼吸、心拍、血圧、発汗、消化などを司ります。交感神経が心拍を促進し、副交感神経が抑制するなどの機能ですが、副交感神経が優位に働くと免疫力が上がり、ストレスを受けて交感神経の緊張で体調不良が進行するのを防ぎ、病気の予防や治療に働くというものです。このとき、白血球のリンパ球、顆粒球、マクロファージという免疫細胞がそれぞれの働きをします。

免疫力低下は心身のストレスによることが多く、免疫力アップには、発酵食品、食物繊維が多い食品、体を温める食品など、副交感神経優位のリラックスの体調をつくることにより、血圧を下げ脈を穏やかにすることが良いとされています。

また、『免疫の新常識』（安保徹）によれば、「呼吸は吸うときに交感神経が優位になり、口呼吸の場合は浅い呼吸で交感神経が優位になる。胸式呼吸は交感神経に働きかけて興奮させてエネルギッシュにする作用にすぐれ、吐くときに副交感神経が優位になる。鼻呼吸は深いゆっくりとした呼吸になり副交感神経が優位になり、腹式呼吸は副交感神経に働きかけて精神を穏やかにする作用がある。」ということです。

免疫システムは、例えば、一つの会社に決まり事があることや、外部からの出入に制限を加えることでその会社にとっての防御機構としている、ということと通じるものがあるでしょう。従って、生物に限らず、地域も国も、すべからく存在が一個を維持するための仕組として持ち合わせているシステムである、ということもできます。

ここまで細胞や免疫を、一個としての生命の存在・継続に係る基本的な機構として取り上げてきました。が、「全ては一個である」とは、有形世界における全ての存在はただ一つの存在であって同じものが二つとない、ということです。全てが違う存在であるからこそ各々は、その違いによるアンバランスのバランスを求めての反応をするということと思われます。

そのとき、反応をする各々を相対と捉えることができるでしょう。次章では、先ずはその相対について触れ、更にそこから生まれる反応系について記してみることにします。

二　相対と反応系――次をもたらす相対と反応系を支える仕組み

相対について

相対とは、左と右、上と下、昼と夜のようなものです。広辞苑には、「…相互に関係を有すること。対立すること。…他に対して在るもの。他との関係において在るもの。…」とあります。

例えば『古事記』の上巻に宇宙の始まりのことが記されています。混沌としたなかから天と地が分かれると、天之御中主神（あめのみなかぬしのかみ）・高御産巣日神（たかみむすびのかみ）・神産巣日神（かみむすびのかみ）の三柱の神が創造の初めとして現れ、陰陽が開けて、伊耶那岐命（いざなぎのみこと）と伊耶那美命（いざなみのみこと）がすべてのものの生みの親として遣わされ……というくだりです。

ここに於いて、天と地が分れるということは相対が生まれるということです。つまり、天がなければ地はなく、地がなければ天もない、ということです。従って混沌としていたなかに天と地という相対が生まれたことを意味しています。それは、陰と陽にも同じことがいえ、陰も陽があって陰で、陽が無ければ陰も無く、全てが陰も無いということです。陽もまた同じです。

そして、伊耶那岐命と伊耶那美命は天の御柱の周りを、それぞれ左回り右回りに回り、出会ったところで聖なる結婚をして国生みを果たすといいます。ここで、左回り右回りとは、左右に分けるものがあって初めて左であり右なのであって、何の基準もなしに左右は生れないでしょう。左は右があるから左なのであり、右の無い左は無く、右が無ければ全てが左か、といえばそれもありません。というより、全てが左であればそれは左ではなく、全体とでもいう他ありませんが、全体があるならばそこには左右があることになります。左が成立するのは右があってのことであり、左右に分ける基準があってのことです。その基準が天の御柱であるということでしょう。

相対とは〝あいたいするもの〟ゆえ、あいたいする間（はざま）・基準に対しての概念でもあります。という訳で「相互に関係を有すること。対立すること。他に対して在るもの。他との関係において在るもの。……」が相対ということですが、このような視点を持って我々の周りを見廻したとき、全ては相対で成り立っていることに気が付きます。

例えば地球は、太陽との間で相対であり、月との間でも相対です。と同時に、太陽からの地球は、水星や金星、火星などの相対のなかの一つでもあります。

或はまた、地球は一つの大きな磁石でもあります。磁石はNとSという相対から成ります。が、磁気はNとSがセットで一個です。Nだけ或はSだけでの存在はなく常にNとSがセットになっています。その限りにおいて大きさに制限はなく、地球はその例であり、地球としてNとSという相対がセットになった一個です。

係り方はそれぞれですが、このNとSという相対を使って多くの生物が命の継続をしています。例えば渡り鳥は地磁気を利用して方向をキャッチしているといわれ、鳩を使ったその種の実験も知られるところです。また海洋生物の生態も、地磁気や月との関係で捉えられています。

そして、身の回りには数々の磁石があります。電気製品や通信機器、乗り物からスマホや時計、鍵、スイッチ、カードに至る小物まで、磁気の利用が無ければ成り立たないであろう物が無数ですし、オーロラも地磁気との関係で生じる現象です。

＋と－も相対です。物を構成する基本である原子は、＋の原子核とその周りに位置する－である電子からなります。そしてこの電荷を使って、原子や分子が更なる結合を繰り返して物が生まれています。電気製品や通信機器、乗り物、等々、磁気との併用を含め、多くの物がこの＋と－を利用して作られています。

自然界では雷やある種のイオンなどもこの現象です。少し立ち入ると、我々の生命現象も＋とーに依存して成り立っていて、例えば心臓が血液を全身に送るのは、電気信号によって筋肉の収縮を連続的に起こしてポンプの働きをさせることで、可能となっています。脳の情報伝達の仕組みなども含め、命の継続は電磁気的現象の利用なくしては維持できません。

また、酸と塩基という相対もあり、電磁気等と同じように人類を含め動植物の生命現象に係ること大である他、石油精製や各種化学製品の製造などに欠かせない相対です。化学反応は酸化還元反応といわれる如く、自然現象の反応系に関与している他、社会を構成する人や物の反応に係る要因でもあります。

あいたいする相対の例として以上のようなことがあげられますが、NとSや+と−が単独であるのではなく、複合的に作用しているのが自然界です。

そのような例を植物についてみてみると、植物には重力に対する屈性という反応系があり、土中の種子が芽生えると、根は重力方向に茎は反対方向に伸びます。もし鉢植えの植物が鉢ごと倒れればその倒れた位置、向きから重力方向と反対方向に向きを変えます。このような反応系をもつゆえ根から水や養分を吸収し、地上に伸びた葉からは光エネルギーを吸収できるのです。

また、光屈性という反応系もあり、光の方向を感じて向きを変える現象です。このとき更に、光の有する周波数によって反応の程度が変わる接触屈性という現象もあり、刺激の方向に屈する正の屈性と反対方向への負の屈性があります。

他に傾性という反応系もあり、例えば光傾性とは花や葉が昼開いて夜閉じるという運動であり、温度傾性とは気温が高くなると開花があり、低くなると閉じるという現象です。植物は光や重力、温度、水などとの間に相対反応を持ちつつ命を維持しているのです。

生命を維持している基本のＤＮＡも二重らせんの各々は相対であって、互いに互いでなければ絡み合えません。塩基のアデニンはチミンと、シトシンはグアニンとでないと、二重らせんは構成できないのです。ということは、相対の成立には条件があることにもなります。

社会現象も相対的に見ることができます。株価の動きはその良い例でしょう。企業の業績や新製品への取り組みなどを判断材料に、買いが増えれば株価は上がりますが、ある程度上がれば利益の確保などを求めて売りが出て下がる、という相対です。

スポーツも、より早く、より強く、より遠くへ、より上手にと、記録とのそして相手との競り合いであり、相対に導かれています。自分との闘いというのも、未完成の位置から相対としての完成度の高い位置への挑戦であり、相対の広がりです。

軟らかいところでは男と女も相対と見ることができます。「相互に関係を有すること。対立すること。他に対して在るもの。他との関係において在るもの。…」ゆえ、互いに自分に無いものに引かれるのです。当事者は自らの嗜好で行動している積りでいても、実は相対反応という宇宙の反応系を演じているに過ぎない、という見方もできるわけです。

男と女も難しくなることがありますが、一般的な人間関係も難しい面を持っています。人間とは人と人との間と書く如く、相対で成り立っています。自分がいて相手がいるように、相手がいるから自分もいるのは、これまで見てきたことと同じです。が、どうしても自分本位になりがちです。自分本位になればそれだけ相手が見えなくなるのも、相対が教えてくれるところです。

相対という認識がこれにも増して難しいのが、自然との関係での相対的位置付けを知ること、かもしれません。蟻や蜂は、自分たちの世界以外に世界があることを知らないでしょう。ゆえに、来る日も来る日も黙々とあの生活を続けていることができるのだと思います。というより、例えば、来る日も来る日もという認識すらもないのではないでしょうか。あるのは、女王蜂という存在のために働くとか、敵という存在のために戦う、ということだけなのでしょう。

もし、人が飼うペットのような世界のあることを知ったなら、これまでの自分は何だったのだろうかと落ち込むでしょうか、自分たちのほうがより真面(まとも)な生き方をしていると胸を張るでしょうか、或は……。相対をどの視点で了解するかとの関係であると思われます。

人も、人の世界だけを見つめている限りは、自由に生きている積りで生きられるように思います。人こそが最高の存在であり、その証拠に他の動物には無いこれ程の社会の構築、これ程の科学技術の発達、これ程の芸術の創造等々、人ならではないか云々、と思えてしまいそうです。がそれは、人の世界を人の世界の中から見ているからでしょう。蟻や蜂が自分たちの世界以外に世界があることを知らないことに同じでしょう。

人や蟻や蜂の世界に限らず、或ることの位置付けをするためにはそれに対する相対を使わない限り不可能なのではないでしょうか。人は、その相対を使える位置にいますが、人の世界を位置付けできるのは、自然という相対を使ってのみのことと思われます。

地球と太陽が引き合うのも、地球と月が引き合うのも相対の現象であり、地震が起こるのも相対の結果です。太陽系全体がそのように万有引力を成立させて存在していますが、太陽系も銀河との間で万有引力を介して相対関係を成立させ、宇宙全体も同じように構成されています。そして、有形を支えている時間と空間も典型的な相対であり、片方だけでは成り立たないのです。

間（はざま）

私たちが何かを為す（な）というとき、その為すべき何かを意識して心が働いて行為に向かっていくといえるでしょうが、それは止まっていた心がその方向に動くということでもあるでしょう。『広辞苑』に記載のある「宇宙論的証明」の如く、宇宙があるということはその創造主がいるという考え方の立場に立つとき、その創造主の心が動いたときが有形宇宙の始まりである、と捉えることもできるように思えます。

このとき、心が動いたということは方向が生まれたということであり、その方向への秩序が生まれたということでもあるでしょう。動きの前後で差が生まれるゆえ、そこに時間が生まれ空間が生まれるように思います。が、それまでは時間もなく空間もない、相対のないアンバランスで混沌とした界（見方によっては、バランスのとれた無という界）であったのでしょう。

混沌に秩序が生まれ法となるためには方向付けが必要であり、それが時間の矢なのではないでしょうか。時間によって方向付けがされるのに伴い空間が生まれるように思われます。「混沌とした界」とはいうものの「界」とはどのようなことをいうのでしょうか。竹村牧男『ブッダの宇宙を語る　華厳の思想（上）』には次のような記述があります。

「『界』はダートゥが原語で……現象世界の本性としては真如・法性」であり、「……諸法の根源の意味に使われることにもなり、すなわち個々の法の種子として考えられたりします。あるいはむしろ、さまざまな現象世界の基本となるものとしての諸法そのもの、ある一定の単位、（要素）そのものの意味にもなり」「……世界において何らか分析された単位となるものを意味することもあれば、本性そのものを意味することもある」

間が生まれるのはこのような界があってのことでしょう。この界に時が基準を作り方向性を出し、間と共に時間と空間が生まれるもののように思われるのです。界とは、時間や空間を生みだす場であり、間もそこに生まれるのではないでしょうか。

間は相対があって生まれます。相対は、間を通して己を主張し、相手を感じ取ります。そのような機能が存在の属性としてあるから、反応が起こるのでしょう。そして、このような反応系が、有形宇宙を形成する基本の一つであるといえるように思います。原子が反応するのも、分子が生まれるのもそれでしょう。細胞という一つの世界があるとき、その中の核やミトコンドリアや葉緑体も一つの世界を持ち、それぞれも反応し合っている筈（はず）です。

そしてそこでも、間を通した情報のやり取りが交わされて、各々が各々の役割を果たしているに違いなく、そのような情報の交換の場が間であろうと思われます。

我々の日常も、このような反応系によって成り立っているとみることができるでしょう。典型的な例としての芸やスポーツ等における間・呼吸は、そのようなことの一つといえます。間を取って反応を計り合うのです。「用意、ドン」もそうですし、組手から相手を投げる柔道や、一瞬を突く剣道もそうです。合気道などもそのような世界の代表でしょう。

日本の伝統文化は、このような間あるいは呼吸を大事にして成り立っているということができます。例えば、茶道におけるお茶事では無言による振る舞いも多く、そのとき、音を取り入れての呼吸で事が進むこともあります。

能や文楽の世界でも同じようなことがいえます。能舞台におけるシテやワキによる舞や語りもそうですし、それらに対しての絶妙なるタイミングによる大鼓や小鼓は、呼吸そのものでしょう。そして、その場を突き抜けるような笛の音には間の拡がりをも感じます。

また、文楽での太夫の語り、それを音で演出する三味線、それらに乗って人形で表現する人形遣いのそれぞれも、間を大事にしての妙味を演じます。人形は三人の操作によって一人の人間としての動きとなるのですが、その人形に人の気持ちが乗り移ったか如きの一体感は、三者の呼吸が一つになってこそのことといえるでしょう。そして、それらがぴったり合ったとき感動を呼び、拍手喝采となり、このとき舞台と会場も一体となるのです。

芸に呼吸の見事さが現れるのは他にも沢山あります。雅楽、歌舞伎、舞踊、落語、浪花節、或は都都逸だってそうですし、活花はバランスを問われ、書も余白が問われます。日本の伝統文化は呼吸即ち間の取り方が絶妙なのですが、そこから醸し出されるものが日本らしさとして受け入れられている日本文化なのでしょう。

ということは、洋の東西を問わずいずれの国々でも、そこならではの呼吸で成り立っている世界がある、ということでしょう。

そして、間を取って反応系を成立させるこの間は、やがて周期に係わっていきます。そのようにみるとき、私たちの宇宙は有形の存在を間を介して収めている場であるともいえそうに思います。

反応系を司るもの

この章でここまでみてきたような、相対が反応し合う反応系とはどのようなものなのでしょうか。前項で触れたことではありますが、ここではその反応系についてもう少し立ち入ってみてみることにします。

一個が相対間において反応するというとき、それはどのようにしてでしょうか。例えば、酸と塩基、陰と陽は何故(なぜ)反応するのでしょうか。＋と－は何故引き合うのでしょうか。或は＋と＋、－と－は何故反発するのでしょうか。

酸と塩基が反応する場合、酸はそこにいる相手が塩基であることを察知するから反応するのでしょう。或は、酸であるから反応が起こらないのかもしれません。つまり、その相手が自らとは違う何かを有している存在であることを理解するからこその反応であるといえるように思います。

ということは、相対する存在に対して、己と違う何かを察知する機能を、自らは有しているということではないでしょうか。それでいて、存在が、自らの立場が酸であるとか塩基であるとかということを、承知しているかは不明です。

それより、あるがまま存在しているだけのように思われます。それでも反応系が成り立つということは、その酸や塩基、陰や陽に応じたシグナルを自らも出し、かつ、相手の出しているそのようなサインを感じ取る機能を有しているから、ということではないでしょうか。そして互いに、自らが必要とする情報を相手が有しているということを感じ取るから、それを求めることが反応となるのではないでしょうか。

このとき、自らが必要とする情報とは、その情報を得ることによって己自身がよりバランスよく安定することができる、という情報であろうと思われます。このような反応系の機能は全ての存在にいえ、例えば、男と女の反応系に置き換えてみることもできるでしょう。

異性間の反応は同性間の反応とは違った振舞いですが、では異性間なら一律無条件の反応か、といえばそうとは限りません。瞬間で反応することもあれば時間のかかることもあり、強く反応することもあれば微かなこともあるし、どうにも反応しないこともあります。

反応は互いの位置、内容とその共鳴によって変わります。男女の反応も物質の反応も、基本の仕組は同じであるに違いないように思われます。

私たちは人と対するとき、その相手からいろいろなことを感じます。そして、その感じたことがその後の付き合いに影響することも多いのです。これは、その相手の持っている情報を無言の中にも翻訳している、ということではないでしょうか。

その一方で、創造性を有する人類は、言葉や仕草、表情、図形、色、音や香りなど多彩な情報の伝達手段を持っています。無言のやり取りの中から感じ取ることだけに固執することもないゆえ、ある種の感覚に疎くなっているといえる面もあるでしょう。

例えば、目や耳の不自由な人ほど、気配を感じる感覚に敏感であったりします。ならば、言語や創造性を持たない動物や植物の持つその種の感覚には、計り知れないものがあるということにもなるでしょう。犬や象の嗅覚やタカの視覚、或は、磁気を感じ取る鳥や魚などは、それが生きていく上で必要な反応系ゆえ備わった感覚、ともいえるのではないでしょうか。

或はまた、植物の葉が緑色をしているのは、緑の周波数を反射し、その前後の青や赤の周波数を吸収してそれを光合成に利用しているからです。光合成色素であるクロロフィルは、４００～５００nmの波長と６７０～６８０nmの波長を主に吸収しています。光受容体であるフィトクロムは６６０nmと７３０nmの波長を利用していますが、それは共に、そのような吸収できる機能を有しているからのことでしょう。

ということは、それぞれが、情報の翻訳に係わる機能を属性として備えているのではないかと思われます。サイエンスライターである柳澤桂子の『生命の奇跡』には次のような記述があります。

（P79の⑨図参照）

「……運動神経細胞は特定の筋肉細胞を認識して、その細胞との間にシナプスをつくるらしいということがわかっている。神経細胞の入力パターンは非常に厳密にコントロールされており、その各段階は別々の遺伝子によって支配されていることが示されている。……」

「シナプスが形成されるときには、筋肉細胞の表面にアセチルコリン受容体と呼ばれる分子が形成される。アセチルコリンというのは神経伝達物質の一つである。運動神経細胞のなかを電気的な情報として伝わってきた運動の命令は、シナプスのところの隙間を飛び越えることができない。そこで、アセチルコリンが運動神経の末端から放出されて、筋肉細胞の受容体と結合する。受容体にアセチルコリンが結合すると、筋肉細胞は情報を受けとったと認識するのである。

したがって、いくら運動神経の方がアセチルコリンを放出しても、受け取り側の筋肉細胞にアセチルコリンの受容体がなければ、情報は伝達されない」

仏画、仏像が示す光背や後光、曼荼羅（まんだら）でいう月輪などは、以上のような機能の存在を暗示しているようにも思われます。

地球が、すべての情報を内包している太陽光を分析し、生命にとって有害なものを遮断し、利用できる情報を持った電磁波のみを取り入れていることも同じではないでしょうか。つまりすべての存在には、そのような機能が属性として内包されているといえるようにも思います。

呼吸代謝と光合成

動物の命の継続は、呼吸によって支えられています。呼吸がしていることは、細胞内に取り入れた酸素を使って有機物を分解し、エネルギーを作ることで、有機物は二酸化炭素と水になります。分解の過程は大きく、解糖系、クエン酸回路、電子伝達系の三段階に分けることができます。（③図参照）

解糖系は、グルコースなどの有機物をピルビン酸に変える反応系のことをいい、細胞の中の細胞質で行われます。この過程で一〇段階ほどの反応系があり、ＡＴＰやＮＡＤＨを作るのです。

クエン酸回路はクレブス回路、ＴＣＡ回路ともいわれます。

解糖系でできたピルビン酸がアセチルＣｏＡを酸化して二酸化炭素に変えることからスタートして、ＮＡＤＨやＦＡＤＨ２（還元剤。正式表記は$FADH_2$）、ＡＴＰをつくるひと廻りの反応系（回路）のことです。

電子伝達系は、ミトコンドリア内にあるクリステにおける、電子を介してのＡＴＰを合成する反応系です。ＮＡＤＨやＦＡＤＨ２が、クリステの二重膜に埋め込まれ

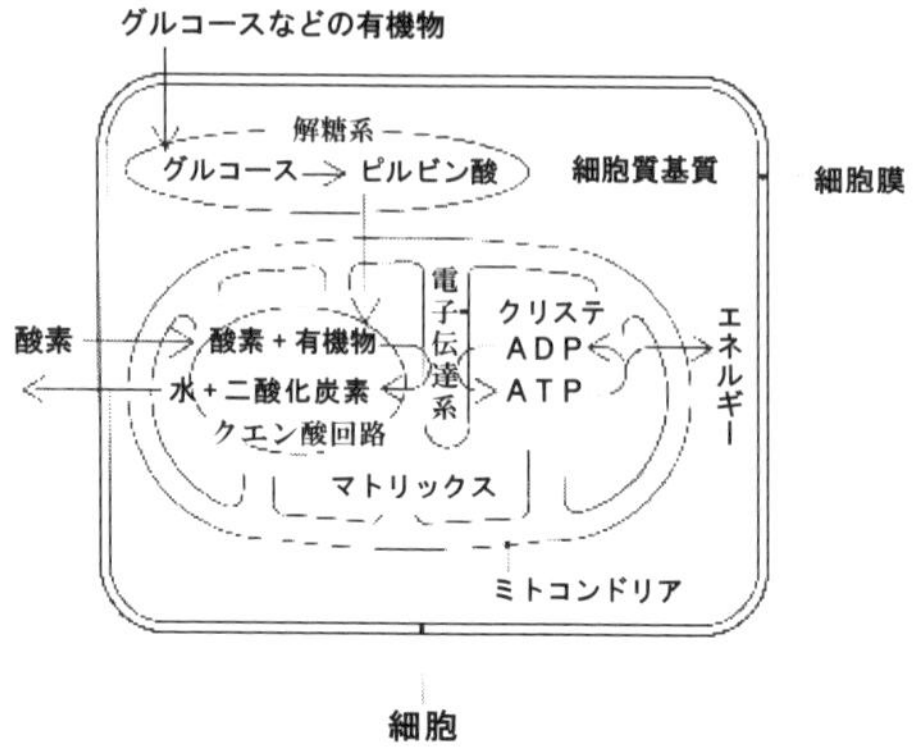

③呼吸代謝概念図

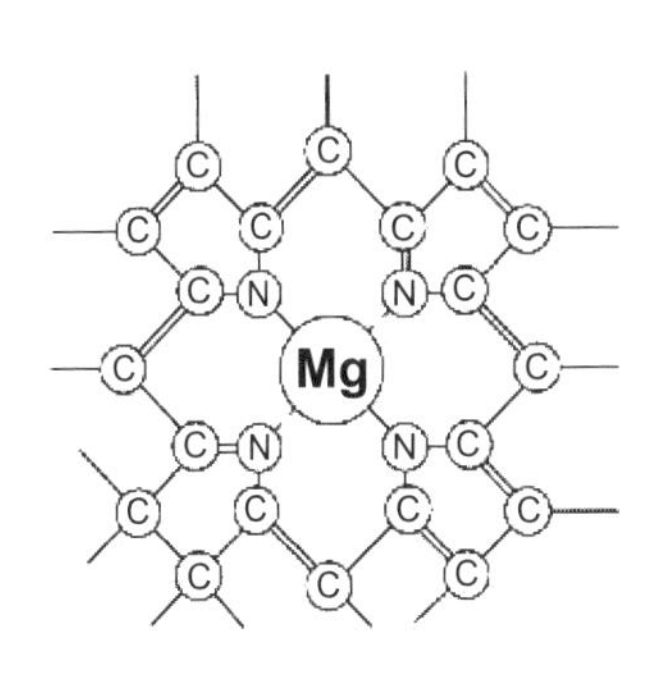

クロロフィルの分子構造模式図

④

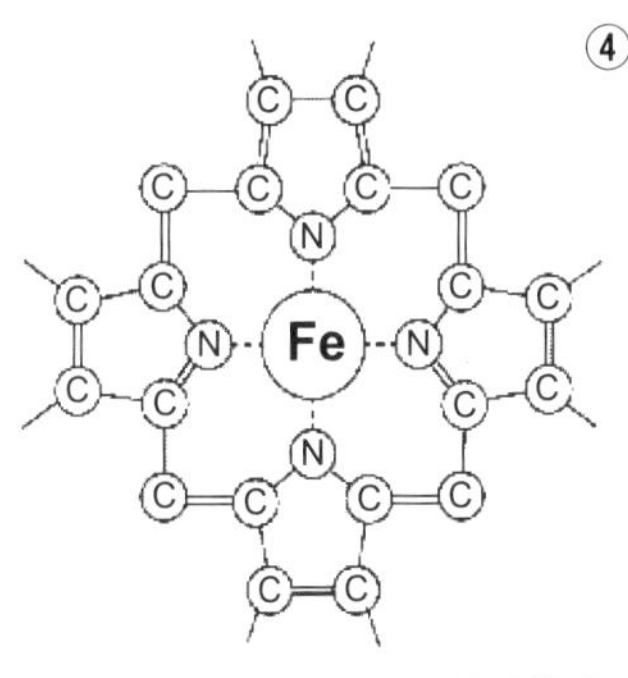

シトクロムＣのヘムの分子構造模式図

たシトクロムなどのタンパク質複合体に電子を順次受け渡す過程で、プロトンH^+をクリステのマトリックス側から膜間にくみ出すことを繰り返します。

この反応系のミソは、シトクロムなどのタンパク質複合体が、クリステに段階を踏んで連続的に電子が流れるように配置され、かつ、ＡＴＰ合成酵素がセットされていることにあるといえるでしょう。また、電子の受け渡しに係わるシトクロムの分子構造は、鉄を中心に、そこから四方に伸びた手に窒素が付き、更に窒素を頂点に四つの炭素が五角形を作る形（ピロールといわれます）で構成されます。ピロールどうしも炭素などで結ばれますが、これら全体でポルフィリンとよばれ、これは、次に取り上げる光合成におけるクロロフィルの構造とよく似ています。（④図右参照）

更に別の問題として、この電子のやり取りをしている過程に分子として不安定な状態があり、そのとき、活性酸素が生まれるということがあります。活性酸素には、体内に入った細菌を殺すという免疫的な機能もあるのですが、強い酸化力によって細胞膜や遺伝子がダメージを受け、やがて老化や発ガン性が促進されるという面もあるのです。

ミトコンドリアはエネルギーの生産をするところですが、活性酸素の排出場所でもあり、反応系の両面を持った生命にとってなくてはならない存在です。そして、植物でも動物でもそれぞれの細胞の中にあって、同じような機能を果たしているのです。

対して、光合成の概念は、葉から吸収した二酸化炭素と根から吸い上げた水を、太陽の光エネルギーを使って糖と水と酸素に変えることです。

二酸化炭素は葉の裏側から、光エネルギーは葉の表面の葉緑体の中にあるクロロフィルという色素から、それぞれ吸収し、糖を合成して酸素を大気中に放出します。二酸化炭素は気孔が開いて吸収されますが、それは、葉の中の二酸化炭素の濃度が薄くなったときに一定状態に戻すべく補充されることによって進行します。

気孔を取り囲む細胞は穴側の細胞壁が厚く反対側が薄いので、細胞内の圧力が増すと薄い側に膨らんで湾曲し、結果、穴は開いた状態となるのです。気孔の開閉はこの圧力の調整で行われますが、それにはカリウムイオンやアブシジン酸が関与しているのです。水の供給が不足しているときには、アブシジン酸が増加してカリウムイオン量を低下させて、気孔を閉じます。水は、葉が熱せられて水分が蒸発することによって起こる浸透圧を使って吸い上げるのです。

光合成は細胞の中にある葉緑体で行われます。葉緑体のなかにはチラコイドとよばれる円盤状の小胞が何層にも重なったものがありますが、そのほかはストロマとよばれ細胞質ゾロでみたされています。そこには葉緑体自体のＤＮＡがあるのです。

細胞も葉緑体もそうですが、チラコイドも二重膜で覆われています。そうすることで選択的透過性を可能としているのです。小孔を設けたり、脂質のみを通したり、内外の圧の違いで分子を通過させたりさせなかったり、と。光合成は、主にチラコイドでの反応系とストロマでの反応系に分けてみることができます。

チラコイドでの反応系の始まりは、太陽光の波長と効率の関係から二つの系があり、光化学系ⅡとⅠです。光化学系Ⅱで吸収される光は６８０nmの光ですが、光化学系Ⅰでは７００nmの光です。それぞれを捉える代表的な色素であるクロロフィルが、このチラコイドの膜にあります。

そのクロロフィルの分子構造は、中央のマグネシウムから四方に伸びた手に窒素を持ち、その窒素を頭に四つの炭素で五角形を構成する形を基本とし、シトクロムに似ています。（④図左参照）

そのようなクロロフィルの色素が吸収した光エネルギーは、先ず光化学系Ⅱのクロロフィルに集められ、その光のエネルギーでクロロフィルの電子が放出されるのです。電子はシトクロム複合体などを経て光化学系Ⅰに渡されます。ここで再び光エネルギーを得て電子が励起されＮＡＤP^+とH^+からＮＡＤＰＨがつくられます。

この間、光化学系Ⅱではチラコイド内の水が分解され、酸素と水素イオンH^+が放出され電子はクロロフィルに渡されます。更に、ストロマからチラコイド膜内に入った水素イオンH^+がチラコイドの内側に入る、等の反応が起っているのです。そして、これらの水素イオンH^+がＡＴＰ合成

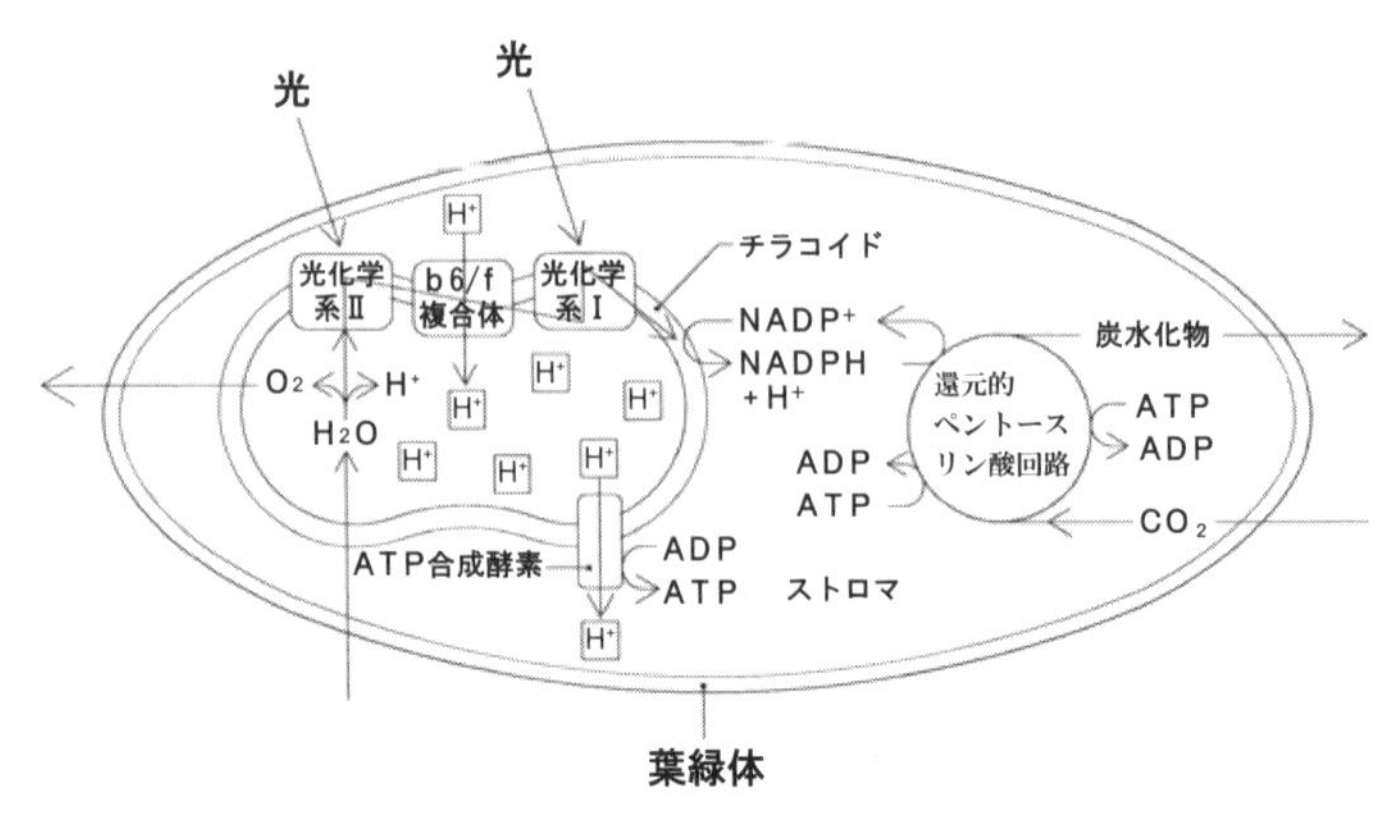

⑤光合成概念図

酵素を通ってチラコイド内からストロマ側に出るとき、ATPがつくられるのです。

以上は明反応ともいわれますが、光エネルギーを使うことによって、酸化還元反応と逆方向への電子の移動をしていることがミソといえるでしょう。また、呼吸代謝における電子伝達系との類似が指摘されます。

クロロフィルが存在し、光の特定の周波数を選び出し次の部位に送ることが、光合成を成立させあらゆる動植物の繁栄につながっているということは、その役目のためにクロロフィルは存在しているに違いないとさえ思えてきます。

光の翻訳とは電磁波の翻訳であり、クロロフィルに選択的に吸収する能力があればこそ可能なことでしょう。チラコイドの内あるいはチラコイド膜を使ってできたこれらATPとNADPHと二酸化炭素を使って、次にチラコイドの外ストロマでの展開があります。それを炭酸固定ともいい、二酸化炭素が固定されて糖を合成するまでの反応系です。（⑤図参照）

気孔から取入れられた二酸化炭素はリブロース二リン酸と結合し分解され新たな化合物となり、ATPと反応しNADPHによって還元され、グリセルアルデヒドリン酸となって一部はグルコース（糖）の生成に、残りはATPを使って再循環の回路にもどっていきます。

実際にはより複雑な経路をたどりますが、繰返される反応系であり還元的ペントースリン酸回路あるいはカルビン・ベンソン回路といわれます。

ここでの反応系を暗反応ともいい、生成された糖が次の代謝のサイクルに組み込まれ、多くの生物の命へと展開されていきます。相対が反応しあい一つの周期を作る例でもありますが、その循環・周期は地球規模での生命の継続へと広がっていくのです。

土壌の中での反応系と腸

植物は、根から水を吸い上げて葉まで運んでそこから蒸発させつつ、酸素と水素を得ています。が、吸い上げるものは水だけではありません。窒素、リン、カリウムに限らず、イオウやカルシウム、マグネシウム、鉄……など、生長に欠かせない物質の吸収もしています。ではどうやって吸収するかといえば、そこに関与しているのが微生物なのです。

京都大学農学部の小林達治の『根の活力と根圏微生物』には、次のような記述があります。

「……根の周辺部には無数の微生物が取り巻いていて生命活動を営んでおり、アミノ酸、低分子量核酸類、有機酸その他ビタミン、ホルモンなどを分泌している。……根の表層からは有機物を分泌しており、その有機物を貰いうけようと根圏微生物はその根に集まってくる。……微生物の菌体それ自体は、植物根から分泌された物質を貰いうけ、そのかわりに肥料成分と微生物の分泌物とを根に与える。……根と微生物はギブ　アンド　テイクしているのである。そのように表現してもおかしくないといいきれる」

そのギブ　アンド　テイクは、土壌粒子と微生物と根との間で、各々の持つ成分を電気的＋－を使って交換することによるのです。

その意味で、土壌とは「動的平衡の場」（『土の構造と機能』農学博士・故岡島秀夫）との見方もあり、反応系の場であるともいえるでしょう。また「……土は微生物の生育培地であることも考え、土は高等植物の根と微生物の社会環境とみることで、有機物の知見が豊かになるものと信じている」（岡島の同書）という面もあります。

「……菌体中からは先に述べたように種々の分泌物が排出され、それらの菌体分泌物、排出物の作用により土壌粒子は互いに集まり団粒を形成してくる。……土壌が団粒化すると、土はフワフワし、スポンジ状にふくれ上がってくる。こうして土壌構造が良好になり、排水と通気もよく、水分保持力も大きくなり、土壌の緩衝能および塩基置換容量がおおきくなる。

……土壌へのエネルギーの蓄積は、低分子の物質が微生物の作用により高分子の物質に変ることによって行われる。高分子の物質が多い土壌はエネルギーの蓄積が多い土壌であり、団粒構造が発達した土壌も、そうした土壌だといえる」（『根の活力と根圏微生物』小林達治）

微生物は植物の根から出る分泌物を貰い受け、かわりに植物が生長するのに必要な養分を植物に提供しているのです。その中に窒素があります。植物は光合成によって得た糖をアミノ酸に変えるときにアンモニアを使うのですが、そのアンモニアは微生物が大気中の窒素ガスを変えてできたもの（窒素固定）なのです。窒素は大気中に豊富にありますが、植物が利用できる窒素の形はアンモニアや硝酸塩であり、窒素ガスをアンモニアや硝酸に変えることができるのは特定の微生物だけです。

窒素固定はこの微生物の他に、雷の放電のようなことでも起こります。そのようなか、この窒素固定細菌によってもたらされた窒素がその後のアミノ酸やタンパク質となり、ほとんどの生物の命の継続が支えられる、ということになるのです。

微生物は土壌中で、以後の生物の系統樹に係わるスタート的役割を果たしつつ、それぞれの生物との直接的係わりも持ち、その係わりを人体の中でしている代表が腸なのです。

デイビッド・モントゴメリー＋アン・ビクレー、片岡夏実訳による『土と内臓』によれば、

「……腸はヒトにとっての根圏、私たちの体の中で、ある目的のために受け入れた微生物がとてつもなく豊富な場所だ。消化管の細胞が腸内微生物と相互作用し、根細胞は土壌微生物と取引をする。人間界と植物界は共通する主題を持つ。——微生物との活発な伝達と交流だ。

だが腸と根とはもっと深いところでつながっている。私たちの歯は土壌中のデトリタス食動物と同じようにはたらき、有機物を噛み砕き小さくして、他の生物が分解過程を続けられるように

する。胃酸は土壌に棲む菌類の酸のように機能し、食物を吸収できる分子にまで分解する。小腸は、植物の根が水に溶けた養分を吸収するようにして、栄養を吸収する。小腸の内側は絨毛（じゅうもう）とよばれる繊維のような小さな突起で覆われている。これが、ちょうど土壌中の根毛のように表面積を何倍にも増やし、栄養吸収を大幅に向上させる。大腸の大釜の中では、根圏のように、微生物が宿主にとって欠かすことのできない代謝産物と物質を作っている」

東京医科歯科大学名誉教授藤田紘一郎の『腸内革命』の副題は「腸は、第二の脳である」であり、「はじめに―『幸せ物質』を脳に送る腸内細菌」で始まり、「おわりに―腸内細菌を増やして、幸せになりましょう」で終わっています。腸に棲む微生物が人の免疫系を支えているのです。

三　周期――次をもたらす要因

周期について

相対があると互いは反応し合います。例えば音。曲として考えるとき、或る音に対して次の音を設定しようとする際、次の音はその或る音に対してより高く、或いは低く、時には同じ音の繰り返しとして後を受けます。音楽は高低と強弱、長短の組み合わせと間の取り方で曲となりますが、曲となったものは一つの周期の完成とみることができます。但し、音には、相性の良い音とそうでない音がありますので、反応し合い周期を完成させるには、それが可能な取り合わせがあるのです。

音がリズミカルであれば心地よいのですが、不規則な音の連続はストレスとなります。せせらぎの音、鳥や虫の鳴き声、木の葉の磨れる音、祭りのお囃子、職人が使う鋸や金鎚の音、静かな寝息……皆、ある繰返しのもと周期を完成させたものです。

電車の乗り心地も、ベテランの運転手さんならついつい眠くなりますが、そうでないと走行がリズミカルとはいかず苛々してきます。これは、車体や乗客やレールの把握に習熟しているか否かに係り、そのようなことから勘所を心得ているかどうか、言い換えれば、それらを一体とした周期を完成させる位置に至っているかどうかでもあるでしょう。

生命の基本である植物の光合成における、カルビン回路も周期であれば光合成におけるそのほかの様々な反応系も周期であり、また光合成自体もそれらの周期からなる周期の結果のものであるし、動物の呼吸代謝におけるクレプス回路他の様々な反応系も周期です。

生命体は、無限ともいえる繰返しの中から無限ともいえる周期を完成させ、存在・継続しているといえるでしょうし、それは、存在全てがそうであるように思われます。

ヨーガでは〝オーム〟と唱えますが、オームとは阿吽であり、阿吽はアーメンの元になったものといわれています。また、偉大なマントラ（真言）ともいわれます。これをヨーガを始めるときと終るとき、或は一連のポーズの最初と最後などに唱えます。唱えるということは、具体的には息を吐くことであり、音と呼吸を介して全細胞をリラックス・開放させることになるのでしょう。そして、ポーズの都度自分自身を観察することを通して気付きが増え、そのような繰返しのもと位置を上げていくことができるのであろうと思われます。

また阿吽とは、相対が反応し合うということでもあります。阿は物の始まりであり最初、吽は終りであり最後。始まりがあって終りがある、終りがあって始まりがある。阿吽で一対です。阿字本不生とは、万物は本来不生不滅であり、よって宇宙は空であり無限であり永遠であるという意味でもあります。オームと唱え、その他のマントラを朗誦し、ポーズを繰り返すことで以上のようなことを確認し、身心を目覚めさせ、更にそれらを積重ねた効果を思ってのヨーガであるのでしょう。オームが「宇宙根元の音」といわれるのは、そのような意味でのことと思われます。

人の生活は、地球の自転という周期を基準に成り立っています。月が地球の周りを回るのも地球が太陽の周りを回るのも周期であり、太陽系も銀河系も周期をもって回転しているということは、宇宙全体が周期の法則に従っているということでしょう。

周期律

周期そのものを表しているものに元素の周期律があります。元素を原子番号順すなわち陽子の数の順に並べると、性質の似た元素が一つのリズムのもとに現れるという現象です。性質の違いが生まれる要因に、原子核に対する外殻電子の位置と数の係わりがあります。

原子は原子核の周りを電子が廻っている姿で捉えられていますが、原子核は＋の電荷を帯び電子は－の電荷を帯びているので、そのことが電気的反応系を生み出すことになり、原子の性質につながるのです。また、電子の廻る位置には階層性があり、かつ、一つの階層に収まることのできる電子の数には制限があります。

そのようなことが周期律をもたらし、反応系を特徴づけているのです。

原子同士が反応する方法は幾つかあります。一つには、原子の外郭電子の数によって原子全体として＋電荷を帯びたり－電荷を帯びたりとなりますが、このとき＋を帯びた原子と－を帯びた原子とが一体になって次なる粒子ができるイオン結合という方法です。ナトリウムと塩素が結合して塩化ナトリウムができるということは、その代表的な例です。

また、幾つかの電子を複数の原子が共有して次なる粒子を作る共有結合という方法もあります。例として、水素と水素が電子を共有して水素分子になることや、二つの水素と一つの酸素が結合して水ができること、二つの酸素と一つの炭素から二酸化炭素ができることなどがあります。

更に、周期律表における金属元素といわれる一群のものは、各原子が、最も外に位置する電子が自由に移動することによって結合状態となる金属結合という方法をとります。ナトリウム、マグネシウム、鉛などがそれです。

そして、結合の条件が解除されれば散逸ですが、これらは全て反応系です。これらの反応が成立するには、その反応が成立する条件が満たされてであって、その基本はバランスです。結合するのも散逸するのもバランスを求める動きであって、バランスが落ち着きどころに至るまでは、その落ち着きどころを求めての繰返しをし、その繰返しの結果一つの道筋を見つけるとそれが周期となり、落ち着くところに落ち着くのです。

イオン結合や共有結合、金属結合といわれる結合方法は、そのような安定を求める動きであって、自然は、安定方向への反応系であるといえるでしょう。

細胞周期——一個の継続

細胞は、例えば人の成長過程では規則的に分裂し増殖しますが、ある一定に達すると増殖をやめます。しかも、皮膚の細胞は皮膚に骨の細胞は骨にと違えることなく諸器官を作り、一個としての体を作ってくれます。その後は分裂を繰り返すだけですが、分裂の周期は部位ごとに違います。また、分裂したのち元の細胞と入れ替わりつつその元の機能を維持するのです。

そのようなことを滞りなく確実に継続しているということは不思議でもありますが、そこには多くのタンパク質がかかわり、反応を進行させたり停止させたり待機させたりと、幾重ものチェック機能が働いて、繰返し継続が間違いなくできるようなシステムが成立しているのです。このような細胞の分裂から次の分裂までのサイクルを細胞周期といいますが、ここでは、そのような細胞周期を垣間見ることによって、生命体における反応系を確認してみたいと思います。

細胞周期の基本はＤＮＡの複製を作ることと分裂することです。分裂は遺伝子の複製が完了した後になります。分裂に備えてのDNAの合成をするその時期をS期といいます。そして、細胞分裂の時期をM期といい、M期からS期への間はDNA合成の準備期間でありG1期といい、S期からM期への過程は分裂の準備期間でG2期といいます。（⑥細胞周期の図）

細胞周期の長さを決めるのはG1期の長さであり、M期は周期の全体からは短期間です。DNA合成の待機状態にあるG1期の細胞に、外部から増殖のサインが送られると細胞周期への動きが開始されます。それまではある種のタンパク質が増殖へ向うことを抑えていて、このシグナルと共にそのタンパク質の働きが解除され、細胞周期を司っているエンジンが動き始めるのです。

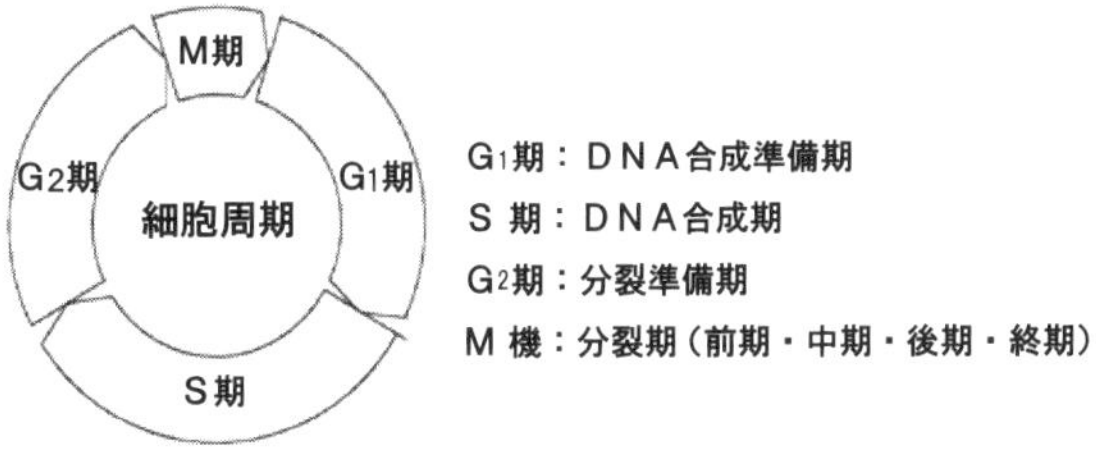

M期
G2期
細胞周期
G1期
S期

G1期：DNA合成準備期
S 期：DNA合成期
G2期：分裂準備期
M 機：分裂期（前期・中期・後期・終期）

⑥細胞周期

細胞周期を司っているエンジンとは、二種類のタンパク質が組み合わさってリン酸化酵素として働くもので、周期の時期によって内容が変わり、その種類はかなりになります。促進したり抑制したりと、細胞周期の反応系をコントロールするタンパク質です。

反応のコントロールは、リン酸化して待機させせそれを解除して活性化させるとか、細胞周期エンジンに結合してその働き自体を止めてしまうとか、細胞周期エンジンのタンパク質を分解してしまう、などの方法によるのです。これらを、周期の時期によって使い分け

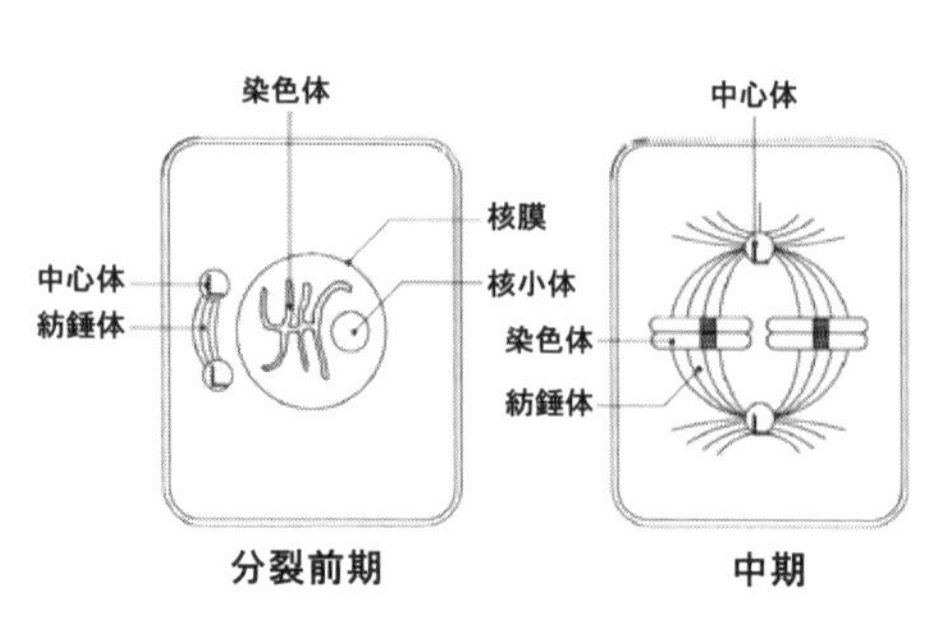

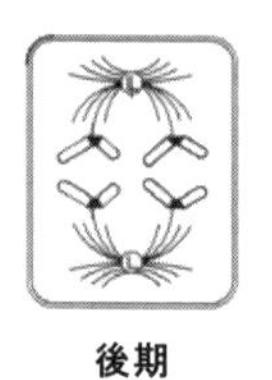

⑦細胞分裂

ています。

そして、それらの反応系が問題なく進行しているかのチェックをし、次に進める状態になるまで待機するシステムも備わっており、このような反応系を司っているのもタンパク質です。

次のS期では、ある種のリン酸化酵素が働きDNAの複製が開始されます。複製は、DNAのらせんが解け各々の相補的な鎖が合成され二本の二重らせんが生れるのです。また細胞分裂の装置としての紡錐体と中心体も複製されます。この過程でも多くの合成が行われますが、全て相対の反応系であるとみることができます。

合成が行われると次はG2期ですが、更に次の分裂期における様々な変化に対応すべく準備する期間です。

分裂が進行するM期はさらに前期、中期、後期、終期と分けられます。（⑦細胞分裂の図）

前期では、核のなかでほぐれていた染色体が、らせんが密になり凝縮を始めます。核小体が消失し、二個の中心体が離れて紡錐体を形成しながら細胞の両極に向います。核膜が消失すると次の中期に入ります。

中期になると染色体は凝縮を完了し細胞の赤道上に並び、紡錘体が形成されます。この染色体の凝縮を行うのは、細胞周期エンジンがタンパク質をリン酸化することによってです。

次の後期では染色体が細胞の両極に向って分離していきます。

終期には染色体を核膜が包みます。染色体はらせんが解けほぐれると紡錘体が消失し、核小体が出現します。細胞の赤道付近にある収縮環という構造体が収縮しくびれが始り、細胞が二つに分裂するのです。

そして再びG1期から繰り返されることになりますが、このG1期で増殖停止の状態となり、条件がそろうとG1期にもどって細胞周期に入るというケースもあり、この時期をG0期といいます。細胞周期のスタートとなる増殖のサインはこの後となります。

細胞分裂は一連の順序だった出来事としておこり、四つの周期に分けられて捉えられ、かつ全体もまた周期です。その一つ一つの周期は反応の繰返しから生れ、繰返しは周期の一種です。

このような反応系には多くのタンパク質が係り命の継続をしています。タンパク質はアミノ酸からなり、アミノ酸には人の体内で作ることのできない必須アミノ酸もありますが、これは植物の作るものを利用する他なく、その植物が大きな影響を受ける土壌環境は人の腸内環境と似ているといわれています。アミノ酸は塩基性のアミノ基と酸性のカルボキシル基を持つので反応性に富みます。

この細胞分裂（周期）を司っているのがＤＮＡの端部にあるテロメアという物質です。

社会における周期性

社会的なことで、相対が反応しあって成立している典型的なことの一つに株価があります。値が上がれば売りが出るし下がれば買いが入りますが、この動きを止めることはできません。どこまでも上がり続けることが無いのと同じように、どこまでも下がり続けることも無いのです。上がれば下がるし下がれば上がるのであって、それぞれの期間がどのくらいなのかがリズムです。

従って変化のスピードが速まったり鈍ったりということですから、一本調子の上げやある値に張り付いて変化なしということもありません。社会情勢や業績などを背景に、僅かであれ絶えず変化をし続けるのが株価です。が、ここに大きな流れは生まれています。取引の期間を長く見てみると、全体として上げ基調なのか下げの方向なのかの周期はあるのです。それゆえ罫線が売買の判断の拠り所となることもしばしばです。

周期が生まれるのは株式全体に限ったことではありません。一つの銘柄にもあれば業種にもあり、投資家自身が判断していることにもある筈です。周期が一定に定まらないのは現在進行形だからです。周期が固定されれば高値で売りが、安値で買いが集中することになり、結局その周期は変化していきます。瞬間生命現象のように変化し続けつつ、周期性に左右されていくのが株価です。株価の動きは、相対が反応しあい一つの現象が生まれるということを知るには、解りやすい例の一つといえるでしょう。

株価と同じように流行も、相対が反応しあい周期を作り出している典型の一つでしょう。ファッション、グルメ、趣味などの他、全てに嗜好が表れて傾向が生まれます。赤が流行だといえば赤が溢れます。スーツの襟が太くなったり細くなったり、上着やズボンが緩やかになったり細身になったり、ネクタイも太くなったり細くなったり、めがねのレンズまで大きくなったり小さくなったりであり、バッグも帽子も靴も……。

グルメにしても、本場仕込みの巨匠の味と話題になればそこを訪ね、健康にいいと聞けば皆が求め、新しい味といえばそれを試します。

人が群れをなすとブームが生まれ、我も彼も流行に乗り遅れまいとするから盛り上がりの波が生れますが、早晩、次なる流れの波に移行していきます。

趣味や娯楽の世界でも周期は展開されており、例えば、マージャンが流行り太公望が増えゴルフがブームとなり、或いはスキーやドライブやカラオケ等が盛衰を繰り返しています。最初はジワジワと、やがて人気を呼び参加者が増え、何時しか下火となるのは一種の周期であり、人を楽しませ生活に潤いを与え充実を感じさせますが、なかなか長続きはしません。

流行というより新型という形で次々と製品を世に送っているのは自動車や電気製品のメーカーでしょう。年々技術改良しデザインを変えたものを出して、より良いものであることをアピールして市場を狙います。が、ここにも周期が生まれます。次々と新製品を出して捌(さば)かないと産業として成り立たないという事情もあるでしょうが、それにしても主催者側の誘導もさることながら見事に周期（ブーム）を作り出しています。

が、生まれては消え消えては生まれる繰返しの基、何がしかが継続していく。それがこの種の周期でしょう。自然が周期をもって生々流転しているように、その自然のもとに営みをしている私たち人類もまた、様々な周期を作り出し、かつ、その周期に左右される生活を繰返しているのが社会であるのでしょう。そして、そのようにして生まれたものは、長い単位の後、やがて似たようなそれでいて違うものとして、再び流行になり、歴史という繰返しともなります。

宇宙の周期——循環する宇宙

『広辞苑』では「ひとまわりの時期……を周期」といいますが、繰返しのなかからある一定のサイクルを完成させると周期でしょう。

地球が一年かけて太陽の周りを廻るのも周期なら、自ら一回転して二十四時間なのも周期です。人はこの一日の単位を様々に利用して新たな周期を作り出していて、人の生活における拠り所としての貴重な単位となります。

が、拠り所の単位は基準の設け方により様々です。人の動きや寿命を基準としてみると、宇宙の時間は気が遠くなるほど長いですし、小鳥の動きなどは俊敏であり、一〇のマイナスX乗で回転する粒子は瞬間の速さ以上です。

例えば劫という時間の単位がありますが、一辺が三千km立方程の石を、三年に一度天女が舞い降りて羽衣で一撫でして、その石が摩滅するに要する時間、といいます。これは仏になるのに要する年月を喩えて、長い時間をかけるほど尊いと考えたインド人の話として伝わることですが、これも周期です。

私たちが普通に捉える生命体の中では、千年〜二千年の寿命といわれる屋久島の縄文杉は長命です。七千二百年という説もあり数字は大分違いますが、いずれにしても人の命から見れば桁違いです。一方短命のほうには、体重の軽いある種のねずみやこうもりなどがいて、数時間から数日といわれます。こちらも環境によって変り、命をどう捉えるかで変りますが、それぞれの生命の周期でありそれぞれの生を営んでいて、人が八十年かけているのとその意味では同じでしょう。

地球の自転を一日として一つの単位とし、生活を組み立てている人はこれを七日まとめて一週とし、約三〇日で一ト月、月が十二で一年という単位となります。一年は地球が太陽の周りを一回りする時間であり、季節的に元に戻ることから様々な意味を含んだ拠り所としての周期となります。それは人のみならず、地球上のすべての生物にとって命の根源としての周期です。そして、生命のリズムがここから生まれているのはひとえに太陽の存在によるのです。

太陽はその周りに、水星、金星、地球、火星、木星、土星、天王星、海王星、そして準惑星とされた冥王星を従えて一つの系を構成しています。地球と同じようにそれぞれの惑星はそれぞれの周期で太陽の周りを回っていて、例えば、海王星の周期は約一六五年です。

そしてこの太陽系自体もある軌道をもって回転しています。それは、この太陽系の太陽と同じような恒星が、約二千億個も集まって銀河系とよばれる一団を形成して周行しているその中心に対してであり、その周期は約二億年といわれます。

更にこの銀河系も、一千億個以上もの銀河系に匹敵する銀河が集まった銀河団の一部として回転しています。宇宙はそれらの銀河団を集めた超銀河団、さらにいまだ未知の世界をも含めての大循環をしていると捉えられています。

それぞれの周期は、個が相対間で反応し合い、繰返しの中から辿り着いた一定の手順のもと完成させたものです。そのような反応系が更なる繰返しのもと、一三八億年を経て今日に至っているのが現在の宇宙の姿であり、太陽系の完成についても四六億年分の階層性をもっているのです。

宇宙にはこのような成立ちがあり、そして循環しています。循環しているから周期が生まれ、新たな循環が生まれます。そのような繰返しが、生きている宇宙の姿であるといえるのだと思われます。そして、その一つ一つの要素・一個が相対間で反応し合い、周期が生まれ循環していくとは、動的平衡のもと自己組織化していく宇宙の姿、ともいえるのではないでしょうか。

第Ⅱ部　人とは何者か

一三八億年といわれるこの宇宙史に於いて、約四〇億年前の地球に最初の生命が誕生して以来今日に至り、人として存在している私たちは、何がしかの存在理由があっての私たちでしょうか。人は現在、系統樹や食物連鎖の最後に位置していると思われますが、人の後に続く存在があるのでしょうか。人を最後として何らかの役目を託されているのでしょうか。また、人ならではの特性にはどんなことがあり、どのようなことが可能なのでしょうか。

ここでは先ず、その人の位置の確認をし、次に、人の特性を読み解き、それらを通して人の存在理由の解明を試みたいと思います。更に、人ゆえの特性を人はどのように利用活用し、どのような社会を作っているかを通して、人とは何者かを探ってみることにします。

一　人の位置

系統樹からみえること

この宇宙が生まれたのは一三八億年前といわれ、太陽系が生まれたのは四六億年前、そして地球の誕生は太陽系とほぼ同時期の四五～四六億年前であるといわれています。

その地球に最初の生命が生まれたのは三八～四〇億年前で、はっきりした核をもたない原核細胞からなる原核生物といわれるもので、シアノバクテリアなど細菌の細胞がそれにあたります。後、二一億年前頃になると、核膜とはっきりした核を持つ真核生物が現れ、一〇億年前頃には多細胞生物が誕生しました。その後六億五千万年前頃からは、生命の爆発といわれる多くの種が一時期に生まれることとの繰り返しなどもあり、生命は多種多様な展開をみせています。

因みに、ホモ・サピエンスの出現は二五〇万年前頃になります。

生物の系統樹とは、原核生物という生命が誕生して以来、細菌類から藻類・コケ類・シダ類・裸子植物・被子植物などへの進化・分化や、或は、繊毛虫類・刺胞動物・扁形動物・軟体動物・節足動物そして棘皮動物・原索動物・魚類・両生類・爬虫類・鳥類・哺乳類などへの進化・分化の道筋のことをいいます。

例えば細菌類から魚類、哺乳類が生まれたとき、細菌類の中にはやがて魚類や哺乳類を生み出せる能力があったからそのようなことが起こった、と解することができるでしょう。恐竜は鳥類が進化したものであるといわれるのも、鳥類が恐竜を生み出せる能力を有していたからであり、そのような能力を持たずしてどのように恐竜を生むか、というが如くです。

ということは、系統樹とは無限の能力を持つ大元から、次なる種の能力を発現することによって進行する現象のことともいえそうです。或は、より特化した方向への変化であるともいえるでしょう。そのようななかで、海から陸に上がった生命が、哺乳類となり、二足歩行となり、脳を発達させ、言語を熟すようになったのは、単なる成り行きなのでしょうか。

但し、このような変化は、偏に生物のみによって起こったものではなく、例えば、地球の変遷などの係わりもあるとされています。因みに『生命と地球の歴史』（丸山茂徳・磯崎行雄）には「地球史七大事件」として次のようなことが挙げられています。

①微惑星の衝突付加によって地球の基本的な成層構造ができた（四五・五億年前）
②プレートテクトニクスの開始、生命の誕生、そして大陸地殻の形成のはじまり（四〇億年前）
（プレートテクトニクス：大陸移動によって起こる現象…石山注）
③強い地球磁場の誕生と酸素発生型光合成生物の浅海への進出（二七億年前）
④はじめての超大陸の形成（一九億年前）
⑤海水のマントルへの注入開始、太平洋スーパープルームの誕生と硬骨格生物の出現（一〇～

六億年前）（スーパープルーム：核と地殻の間を上下する巨大なマントルの流れ…石山注）
⑥ 古生代と中生代の境界での生物大量絶滅（二・五億年前）
⑦ 人類の誕生と科学のはじまり（五〇〇万年前～現在）
生命は、大量発生にしても大量絶滅にしても、単なる生命の内部的な力のみでなく、外部からの何らかの働きかけを機に、そのような変遷をしてきたという面もあるでしょう。同書の最終章には「生命と地球の共進化」とあり、また類書にも同じような共進化の指摘がありますが、生命は地球との間に強い関係をもちつつ進化の道を歩んでいます。

それはまた「生物の進化とは、偏に多様性の増大、……このことは、どうやら環境の多様化ということと関連が深そうである。」（『固体地球』濱田隆士著）とある如く、環境の変化をもたらす地球自体の構造的な動きや、それを誘導する太陽との関係も要因となるでしょう。

その太陽にはまた太陽系外との結び付きもあり、生命の「系統樹」といって進化の過程のみの了解で良しとするのは片手落ちで、宇宙全体に繋がる結びつきのもと進化してきたそれなりの理由があるのであろうと思えてきます。そしてまた、系統樹の各々には無数ともいえるほどの種があり、一三八億年を背景に今日の人類に至っているという意味深さを感じるのは、そのような結果としての「人の存在」を思うからでしょう。

物理学者シュレーディンガーは『生命とは何か』の中で「原子はなぜそんなに小さいのか？」や「分子数の平方根の法則」として、生命体の大きさが原子の大きさに対して異常に大きいのは、原子の平均的な動きから外れる原子の影響を受けないため、いい替えれば、生命現象が原子の平均的な動きとの連携で成立するように、という主旨のことをいっています。このことは、系統樹において人に到るまでの種や生態系の数が多いことの理由にも共通であろうと思われます。

いわゆる、種の多様性や遺伝子の多様性、生態系の多様性などを含んだ生物多様性ですが、無限ほどの生命に支えられた人類ゆえ、安定的に人類に与えられた役割をこなすことができる、ということではないでしょうか。それは、何らかの役割が期待されてのことでしょうし、それゆえ一三八億年、或は四〇億年の時間が必要だったのであろうとも思われます。

以上のようなことから、人は進化の結果たまたま系統樹の頂点にいるというだけではなく、何がしかを成すべき役割を負っていると理解すべきではないでしょうか。ではそうであるとき、その役割とは何でしょうか。人が他の生命とは違う、人ならではの特性が、そのために人に与えられた能力であり、ゆえに、それを生かしてのことと理解するのが捉え方であろうと思われます。

食物連鎖を考えると

食物連鎖という現象があります。植物性プランクトンを動物性プランクトンが食べ、それを小さな魚や小動物が食べ、さらにより大きな魚や動物が食べるという一連の反応系のことです。その最後にいるのが人であるとされていますが、そうであるとき、それは何を意味しているのでしょうか。

人もやがて死を迎え、以前なら或は民族によっては、土に葬られて微生物に分解されるとき、大きな循環の流れに組み込まれました。現代の多くは火葬にされて終えていきますが、そうであっても、人の終り方と系統樹的にいえる人以前の動植物の死の意味合いとでは、少々違うように思えます。人以前の動植物は、存在することと種を継続していくことに意義があるとともに、その貴重な命を更なる次の存在のために捧げることまでが摂理であるように思われます。

人以外の動植物は、次の世代に命を引き継ぐと、自らは役目が終ったという如き死に方をしていくものが多いのです。また、次なる世代に受け継ぐうえでのリスクを見越した数の卵や子を残すのは、継続することこそが大切な役割であるが如くであるし、リスクを見越した分とは、他の存在のために命を捧げる分であるといえます。

これに対して人の場合、人も存在することと種を継続していくことについては同じであっても、人も他の何らかの存在のためにその命を捧げているとは、思い難い位置にいます。人の場合はそうではなく、確率の高い引継ぎという立場での子育てをし、更に次の世代を育て上げた後も生き続けています。これは単なる種の継続が主目的ではないことを示しているのではないでしょうか。人は、死をもって他の存在の役に立つという立場にいるのではなくて、何かをするために存在している存在であろうと思われるのです。

人以外の動植物は、存在することにより生態系を維持し、命の大切さを示し、自然の摂理を教えてくれているように思えます。更に、その命をも系統樹の上位に提供し、そのような繰返しの後、最終的には人に何かを託しているのでは、と思えることまでが仕組みとなっているとすれば、そこにはどんな暗示があるのでしょうか。

人が作物を育て家畜を飼うのは、人の生活に役立てようという意図があってのことでしょう。このとき、この植物や動物は己のその先の運命を承知しているわけではありません。例えば、食物連鎖の中における己の位置も知らないでしょう。ただ単に人によって与えられた命を生きているのです。が、このときの動植物の位置（立場）を我々は知っています。

それは、私たちはその動植物を使って何かをしようとすることのできる位置にいるからです。同じように、私たちが私たちの上位にいる存在のことを感じられないのは、私たちが私たちの位置を知らないのと同じであり、人以外の動植物が己の位置を知らない如くです。ということは、私たちは私たちを使って何かをしている存在に動かされているのであろうかとも思えてきます。

そのような捉え方をすると、原子は、自分たちを集めて何かをしている分子という存在があることを知らないといえそうです。例えば、水素二つと酸素一つを集めて水という分子を作って、それまでの水素と酸素とは違う新たな機能を生み出していると思えます。が、水素も酸素もそのことを知らないのは、それぞれ、それまでと変わらずに自由に己の機能を果たしているからでしょう。

同じように分子は細胞を知らない、細胞は臓器を知らない、臓器は人を知らない。が人は、自分が臓器の集合によって成り立っていることを知っているし、臓器が細胞の集まりでできていることを知っています。また、細胞は分子を使って自らを作っているから分子を知っているし、分子も原子を集めて己を成立させているから原子を知っており、原子はクォークを知っているということになります。

これらのことは、己の位置の前までは把握できるが、そのあとの階層については捉えきれないことを示している、ということではないでしょうか。全体を把握することはできなくても、動植物の生命の維持は、そのような生命の連鎖のもと計られているのではないかと思われます。自然はそのように構成されているのではないでしょうか。

ならば、私たちを使って何かをしている存在があり、我々の運命はその存在の手に掛かっているのかも知れないということも、あながちあり得ないことではないかもしれません。それが何であるかは知り得ようがありませんが、食物連鎖などのことから、人は命そのものを捧げて次なる存在のために何らかの役に立つ、という立場にはいないように思えます。

人を使って何かをしている存在は、人の命をそのように利用しているのではなく、人を使って何かを作り出させているのではないでしょうか。それは人でなければ作り出せないもので、植物でなければ作り出せない糖のようなものかもしれません。

有形宇宙は、存在してこその宇宙です。存在がなければ有形宇宙は成り立ちません。ならば、その存在と継続に係わる何かであるのかも知れません。その何かが、有形か無形かも分りませんが、系統樹や食物連鎖を思うとき、有形宇宙の存在と継続に欠かすことのできない何かではないか、と思えてきます。

いずれにしても、そのような構図が描けるとき、その私たちを使って何かをしているであろう存在にとって必要不可欠な有用なものを、人に為させているのであろうと思えます。が、人は己の意思で自由に動いている積りの立場なので、使われていることに気が付かないし、その存在についても知り得ようはないのです。それが人の位置なのでしょう。

但し、具体的なことは解らないにしても、想像を廻らすことはできるように思います。系統樹でも記したことですが、人以外の動植物には無く、人のみが持つ特性、それは人に期待していることを為させるために、人にのみ与えた能力であり、そこにヒントがあるのではないでしょうか。

優性遺伝子支配

宇宙が生まれたということは、生まれる理由があってのことでしょう。それには、存在することによって何かをなそうとして存在となったのであろうから、瞬間的にでも存在すればそれで事足れり、とは考えにくいことになります。ということは、継続が条件となります。一言で表現するならば、宇宙は優性遺伝子支配にセットされているのであろうと思われることになります。

表現を少々変えると、継続の方向への動きを誘導する働きを「優性遺伝子支配」と解す、ということであり、ならばそこからは、継続性のみならず永遠性も生まれるように思われます。それは継続のための優位な方向への流れといえますから、系統樹にしても食物連鎖にしても、その継続方向への流れが全体の構図であることになります。

そして、現在その最後のところにいるのが人であるならば、その立場にいる人に与えられた優性遺伝子支配とは、どんなものでしょうか。そこに人の役割を見出すことができるように思えますし、そこが、宇宙から見た人の位置ではないかとも思えます。

宇宙のシステムが優性遺伝子支配なのに、人が築く社会には混乱が多く、ますます悪化の一途を辿っているのではないかと感じることも多いのですが、このようなことは人の側が起こしている問題であり、自然の摂理の仕組の問題では無い、といえるのでしょう。人の立場からの視点では、人に纏わることであっても自然の仕組による巡り合せと思いがちです。が、それは人がそのように立ち回って起こしている問題であって、人の立場を超えた視点つまり地球システムとして見ると、むしろ人が自然の摂理に反することをしていることによると思えてきます。つまり自ら起こした問題であり、人の持つ視点の問題といえるでしょう。これも正視すべき人の位置です。

実はこのようなことは、宇宙の摂理の一つであり存在の持つ属性の現われであると思われます。というのは、存在にはその存在を継続するために己を守ろうとする働きが備わっており、それが、人の場合には煩悩とか執着心として現われるのではないでしょうか。個体維持や種族保存も基本的にそのような摂理の現われと見ることができるでしょうし、それらが消滅の方向にセットされているのであれば継続性はありません。が、存在に備わっている継続性は、食物連鎖や系統樹を見る限りにおいては宇宙の側がセットしたものと思えますが、人の場合においては、人自身にコントロールの判断を任されているところが、人の位置であり特性であるように思われます。

　このようなことは宇宙を捉えるときの基本的条件であり、真理の一つとしてあげることができるでしょう。が、それは人にとっての課題でもあります。煩悩や執着心のコントロールは、優性遺伝子支配としてセットしたであろう向上的継続性に係わることであるからです。

　人の持つ種々の欲望は、己を守り主張することによって己の存在が意義深いことを確認していることの裏返しではないかとも思われますが、そこのコントロールは、人が宇宙の側から試されている部分ではないでしょうか。そのようなことを含めての人の位置なのでしょうが、人はそのようなことを心の問題として捉え、〝唯識〟として多方面からの追求をしています。で、人の位置を知るうえで、ここで唯識について少し見てみたいと思います。

唯識――一個の存続形態、進化

　唯識とは、インドにおいて弥勒、無著、世親らによって大成・組織化された仏教思想のことです。それを玄奘三蔵が中国に持ち帰り法相宗となり、日本では南都六宗の一つとして広まって、興福寺や薬師寺が大本山の位置にあります。

　その唯識とは、語意的には「(存在は)唯認識のみ」である如く、あらゆる存在や世界を心の働き、つまり識として理解・説明しようとする思想です。外界と思われるあらゆる事物（法相）は、心が対象を区別して知る働きである「識」によって唯「知られてある」のであって、心の外に実在するものではない、つまり、全ては心の中にある、心だけしか存在しない、と捉える学説です。

その知る働きの識には八識あり、見る、聞く、嗅ぐ、味わう、触れるという、それぞれ事そのものの五感であるところの五識と、次に、第六識・意識として認識し思考する識があり、理知・感情・意欲などの心の働きですが、これは睡眠・失神などにより断絶します。そして、第七識・末那識として自我を統一する無意識的自己意識があり、これは睡眠中であっても生きている限り持続し、ここから煩悩などが生れるといわれます。さらに第八識・阿頼耶識として過去の一切の経験を貯蔵し、そこから生れる個性や心的活動の基底となるもの、あらゆる存在を生み出す原因力となる識があります。

この八識は長い修行の後、新たな理解の世界・「仏の世界」に辿りつくことができるといわれますが、これらのうち前五識と第六識は表層心といわれ、第七識や第八識の深層心の影響を強く受けると説きます。但し、深層心も第六識の意識的な心的作用があってはじめて一つの個が形成されるので、影響は相互間に及ぶことになります。

第八識の阿頼耶識についてみてみます。例えば、我々が日常的に種々の経験をするときこれを現行といいますが、この経験は種子というものに記録されて蓄積され、その種子を貯えるところが阿頼耶識です。ゆえに、ここにはそれまでの一切の経験が貯蔵されています。そして、その種子が現行という日常的諸経験を生むこともあれば（これを種子生現行という）、その顕現した現行が種子を生むということもあり（現行熏種子）、また、阿頼耶識の中で熏じられた種子が次々と種子を生む（種子生種子）ということもあり、そのようなことを繰返し行っているところが阿頼耶識でもあります（阿頼耶識縁起）。

そしてこの反応系は、種子生現行→現行熏種子→種子生種子→種子生現行という循環でもあり、この捉え方を遡れば、無始以来の薫習（心にしみついた習慣）ともなります。

種子については、興福寺の多川俊映が『唯識十章』のなかに次のようなことを記しています。

「〈種子〉は、何らかの結果を生み出す原因力です。潜在的未顕な状態であり、しかも、〈無始以来の薫習〉とさえいわれるものですから、そうした〈種子〉の内容を、私たちは誰も実際に確認することができません」

確認はできないのですが、私たち自身が日常的にしていることが、さまざまなかたちで自らに貯えられ、それを繰り返すことによって自らを高めているということです。繰返しのもと周期をつくり、その周期を使って更なる周期をつくる如くに。従って、人の現在の姿とは、その人がそれまでに歩んできた全てを反映した結果としてあるのであり、その現在の姿が次に係る、ということでもあります。薫習しつつ種子は、そのような役割を果たしているといえるのでしょう。

そして種子とは、植物の種子の如く様々な経験（情報）等を貯え、後になって芽を吹き実をつける、ということに因んでの概念であって、物質ではありません。この現行に反応する種子は、八識のみならず七識にも六識にも五識にも係ります。種子は結果を生み出す根源体であり、私たちを位置付ける因子なのです。

以上のような阿頼耶識はまた、末那識によってつねに執着の対象とされます。というのは、繰り返しになりますが、その第七識・末那識とは、生きている限り持続し自我を統一する自己意識であって、自己中心で無意識的深層心つまり潜在的な心の作用なのです。それゆえ「末那識」は、自己愛・利己性に徹している識なのです。

そのようなことは、人は生きている限り煩悩を断ち切ることはできないということでもあるでしょう。煩悩とは一個として存在し続けるための拘りどころともいえます。この一個・己を守り拘るゆえに見えるものも見えなくなり、己の位置付けができず鳥瞰的視点からの見方が不得手となって、大局的な位置での己の役割を捉えきれなくなるのです。

そこで、そこを抜け出た視点を得るために、自然という相対を使って真理を知り己の位置を知ることが有効となります。仏教的難行苦行はそのための一つの手段であり、そのような行を通して障碍的存在である煩悩を弱め、遠ざけ、消そうとしているのであろうと思われます。その結果、見えないものが見えるようになってくるということではないでしょうか。

私たちがものごと（諸法）を見るときの見方に三様あるといわれます。一つには「他に依って生起したもの」（依他起生）、一つには「存在を実体的なものと思いそれに執着し分別されたもの」（遍計所執性）、そして「真実の究極的なもの」（円成実性）、です。これを唯識では三性といい、認識のあり方に三種あることを示しています。唯識思想はヨーガの実践を通しても積み上げられ、特に、阿頼耶識説や三性説などとの係わりは強いのです。

以上の如く、人の位置や特性は心との係わり方で変わってくるといえるのではないでしょうか。

自然界における人の位置

系統樹や食物連鎖は、人の位置を知ることのできる手掛かりの一つとなるでしょう。が、人にはそれゆえに命の継続ができるという気温、気圧、酸素濃度などの他、体温、血圧、心拍数などの生理的ともいえる条件がありますし、それらを支えるための太陽光や水などの不可欠なものもあります。また、可視域、可聴域や臭いなどに対応できる範囲もあり、これらも人の位置を示す指標といえるでしょう。そして、それらの条件を満たせないと死に至る、或はその機能範囲に応じた活動である、というなかで生存しているのが、自然界における人の位置といえるでしょう。その意味では「生かされている」存在なのです。

従って、そのような自然界での位置の意味などについては、理解し切れないところにいるのも人のように思われます。例えば、何故その気温なのか。何故その気圧なのか。或は、熱水の中で生きる生物にとってその環境がどんな意味を持つのか、或は極寒の中で生き抜く生物は何故そうなのか。そして、そのような生物のいることが人にどのような意味をもたらすのか。

――人との違いは、人の位置を示していることでもあるのですが、意味することの理解には、難しいものがあります。

鳥がその鳴き声を通してやり取りをしている情報がどんなであるか、など、それはそれで一つの生態系があるのでしょうが、単なる隣り合わせを超えた世界が展開していると想像はするものの、理解を広げるのは容易ではありません。また、超音波を利用して飛び交うコウモリのような世界は人にはありませんし、イルカの情報交換も無きが如きが人の世界です。

音は空気（媒質）を振動させて伝わり振動数を持ちます。人には音に対しての可聴域があり、概ね20～20000Hzです。従って、この領域外に感動的な音の世界があろうとも、生命維持に係わる音の世界があろうとも、人にはそれらを生活に取り入れるようなことはできていません。ですから、認識外のところで生命を支える関係が成立していたとしても、人からは平行な位置の世界ゆえ理解できていないのです。

光は電磁波の一種といわれ、白色の太陽光をプリズムによって分光すると、赤、橙、黄、緑、青、藍、菫の虹の七色が得られます。光は周波数を有し赤は概ね780nmであり、菫は約380nmで、その両側が赤外線と紫外線であって、人には感じられない領域になります。因みに、赤外線の外にはテレビやラジオの電波や交流電流、紫外線の外にはX線やガンマ線などがあり、人の理解の及ばない世界が広がります。それらの周波数を感じ取れたら宇宙の何たるかに示唆を得られたのではと思うと残念でもありますが、それも人の位置です。

ただ人は、太陽光をそして太陽と地球が造り出した資源を利用できる立場にはいて、人が文明を築き文化をもったのは偏にそのおかげであるといえるでしょう。

植物はこの光に対する感受性が高く、特に400～500nm付近の青紫と670～680nm付近の赤色光の吸収が良く、光合成や花芽形成に利用しています。５５０nm付近の黄緑光はほとんど吸収されません。つまりは、これを反射するゆえ植物は緑色をしているのですが、そのようなことが植物の位置であるといえるでしょう。そして、光合成を可能とする周波数の翻訳能力があることによって生命は始まっているのです。

これらの他に、匂いなどに対しても人には感じられる限界があります。嗅覚は犬などに比べかなり劣ります。フェロモンのような世界の展開があったとき、人はその一部に係わっているだけの位置であるといえるでしょう。味覚に対する感覚の違いも動物それぞれでして、体にいいか悪いかの判断の違いが食料を多様化しています。また、出された食物（餌）を一瞬のうちに食べてしまう犬や猫と、じっくり味わいながら食べる人との違いは、それぞれの位置の違いでしょう。人は、五味、十味を味わい分けようとします。

このように、人と人以外の動植物では音や光などに対する向かい方が違います。海洋生物や渡り鳥、地中の生物なども、人も、それぞれの自然界におけるその位置の存在ということでしょう。以上のように光、音、香りなどを使って命の継続をしているということは、それらの中にその命の継続のために欠かせない要素・エネルギー・情報が入っているということでしょう。ならばその光や音を、命の継続のための情報伝達因子ということができるのではないでしょうか。

そして、それらの情報伝達因子の中からどれだけの情報を活用できるかは、翻訳力ともいえるでしょう。人もそれら情報伝達因子を翻訳しつつ生命の営みをしていることになりますが、翻訳力の違いが人を自然の中で位置づけていることになります。とはいえ、どのような翻訳位置にいるか、どれほど有効に機能・利用しているかとなると見当が付きません。

大宇宙の中で、何処までの翻訳力かは不明にしても、己の位置を感じ取れる立場にはいるのが人である、といえるのでしょう。

二　人の特性

社会性

「……人間は生れたときからすでに外界からの刺激に反応するような神経回路を持っている。外界からの刺激のなかでも特に人間という仲間に強く反応するという意味において、人間は先天的に社会的な動物である。この社会性ということは、人間を理解するうえで、非常に重要な資質であると私は考えている」（柳澤桂子『生命の奇跡』）

といわれる如く、人は歴史の早い段階から集団で生活してきたものと思われます。人が社会的生活を始めたのは新石器時代頃からといわれますが、人が社会性を持ったということは、人を他の動物と違う特異性のある存在としたことに、大きな影響を与えているといえるでしょう。協力し合うこと、競い合うこと、集うこと、創造性ゆえの世界があること、等々。質や量や力の世界があることを知り、それらを利用、応用、使いこなすことにより、人の世界を他の動物とは違うものとして高めることができたのではないでしょうか。

人が集って生活することを可能とするのは、何らかのルールの成立があってのことであろうと思われます。個の主張だけではぶつかり合い、集団が成り立たないのは明らかで、個を主張しつつも多数の中での折り合い点を見出しての生活が可能になるのは、相対間での了解事項が生まれてのことでしょう。すなわち秩序の形成です。勿論、集団生活をする他の動物にも似たような社会性は見られますが、人のそれとは遥かに違いがあるでしょう。

そのような中で人は助け合いや自己主張、自己充実、そして家族や仕事、地域との結びつきなどを通して秩序を身に着けていきますが、それは〝相対の広がり〟でもあり、人ならではの世界であるでしょう。古来、仏心として慈悲の心が大切であることをいいますが、人が集って作る社会性の基本をいい得ているように思われます。キリスト教のいう隣人愛も同じようなことをいっているのではないでしょうか。

そしてそれには、人ならではの脳を有する、ということが大きく係わってのことであろうと思われます。その脳が、人を、社会を、他の動物とは違うものと仕立てあげ、そのようにしてなった社会が脳をさらに発達させ、人を特性或る存在としたといえるのではないでしょうか。

脳という機能体

動物が植物と違うことの第一は〝動く物〟ということでしょう。これに対して植物は一定箇所に〝植わった物〟です。動く物と植わった物では、各々の個体維持や種族保存つまり存在と継続の方法が大きく異なってくることになります。

動く物である動物にはそのための諸機能が必要になります。手足に対応するための骨格や筋肉などの他、その運動機能を賄うための神経系や循環器系、消化器系、呼吸器系、或は泌尿器・内分泌系などの諸器官を備えることになります。特にそれらの中枢機能としての脳を有しているということが、動物を特異な存在にしているのでしょう。

そして人以外の動物はその脳を、主に己に与えられた生命の維持・継続のために使いますが、人は社会性を持ち創造性に発展させ、文化や芸術・学術の世界をも持つに至ったのです。

脳は大きく分けて大脳、間脳、中脳、小脳とあり、中脳からは橋、延髄、脊髄へと繋がります。各脳はさらに細分されそれぞれの機能を有していますが、多くは他の部位との連携に左右されてもいます。（⑧図）

そのような脳を進化や機能の面から三つに分けてみることができます。一つは爬虫類の脳といわれる大脳基底核を中心とした部分で、生命維持に関する呼吸や心拍、血圧、体温調節などの保全やテリトリーの防衛などの機能を司ります。また旧哺乳類の脳といわれる大脳古皮質・辺縁系を中心とした部分は、個体維持・種族保存に関する恐怖や快・不快などの感情、食欲や性欲などの情動、記憶などに係わります。そして新哺乳類の脳といわれる大脳新皮質を中心とした部分は、運動や知覚を司り、思考、言語、記憶、創造などを担い、理性脳ともいわれます。

人の脳が、他の動物とは違う創造的社会を作り上げるほどの役割を果たすに至った理由として、二足歩行をするようになったということを上げる事ができるように思います。二足歩行により前足が解放され、手という様々な動きを熟す器官となったことが脳の発達を促進したといわれることも理由の一つですが、二足歩行をすることにより仙骨・椎骨・脳の連携が生まれ、脳の機能を促したといえるのではないかと思われます。人の仙骨は他の動物にみられない発達をしていることや、「治良」と称してその仙骨に刺激を与えることにより難病を克服している実例もあり、また、仙骨は第二の脳ともいわれることは、二足歩行と仙骨〜脳の関係を窺わせます。

さらに、人の大脳には分化があったということを、特異なこととして上げることができるで

⑧脳の側面概略図（点線は中央断面図）

大脳新皮質：前頭葉、頭頂葉、後頭葉、側頭葉
大脳辺縁系：機能的な概念による単位．大脳、間脳、中脳から成り、脳梁、脳弓、扁桃体、海馬、下垂体など（図一部略）
大脳基底核：尾状核や被殻、淡蒼球、扁桃体など（図略）

しょう。分化は人だけでなく哺乳類において見られますが、さらに、左右の脳に機能の違いがあるのは人だけであるともいわれます。また、

「霊長類以外の動物には、これまでのところ言語中枢に似た構造は認められていない。それらの動物の脳は、人間の右脳に相当する部分だけで構成されているようである」「意識は、言語中枢とその周辺の左脳で主として取り扱われ、意識下の世界は主として右脳で処理されている」

（『意識と脳』品川嘉也著）

ともいわれていることから窺えるように、大脳が分化を経て右脳左脳という機能上の相対を持ったことも、飛躍的な向上につながったものと思われます。そのような脳の左脳はデジタル脳・理論脳・言語脳ともいわれ、文字や記号を使って論理的に考え、代数的分析的でもあります。これに対して右脳はアナログ脳・直感脳・音楽脳ともいわれ、形状認識やイメージ力を使った創造的な発想をし、幾何学的、総合的でもあります。

脳が左右に分化し、右脳が左半身を、左脳が右半身を司っていることに対して、鼻に関しては左右直結であることも人ならではの事であるのは何故でしょうか。ヨーガでの呼吸法は鼻から吸って鼻から吐くを基本としていますが、それは吸気の持つ情報と呼気のもつ情報を鼻で読み取り脳で処理し、生体としてのバランスを計っているのではないか、そのようなことと関係しているのではないか、と思えるのですがどうでしょうか。

いずれにしても、二足歩行や脳の左右分化などによる機能アップが、人の思考性、創造性に大

きく係わったものと思われます。

　更に、人が人ならではの世界を構築できたことの理由に、言語を持つことができた、ということがあるでしょう。言語は思考を発展させ、情報の伝達を促してくれます。つまり、相対の関係を飛躍的に高めてくれるので、発展性が生まれるということです。広い意味の言語なら他の動物にもあるといえますが、微妙なニュアンスをも伝えることができ、文字を使って、そして記号を使って距離的時間的に離れていても伝えることができるほどの使い方は、人ならではのことでしょう。人が社会性を作り上げることができたことには、言語の獲得も大きな意味があった事と思われます。

　私たちが思考を展開するのは、この言語と後（78ページ）に出てくる無差別智を使ってのことといえるでしょう。図形をも絵文字的に言語に含めるならば、これらを使わなければ論理の展開は不可能でしょう。建築の設計やデザインにとっては、図形が意志を伝える言語でもあります。

　これを描いては消し、描いては消しの繰返しを通して質を高め、求める図形を追及するのです。そうでなければ感動を呼べる結果は得られません。思考を、図形という言語を通して行い、結論を具体的形として表現するのです。建築家の大江宏は真っ白な紙を拡げ、「この中に答えがある。その線を求めてのスケッチの繰り返しである」との主旨の言葉を残していますが、手の動きが思考や感受性を高め創造性を生む、でもあります。

　そのようなことは大脳新皮質、特に前頭葉や頭頂葉があったればこそなのでしょう。新皮質は知・情・意の座ともいわれる如く、まさに人を人足らしめている脳であるといえるでしょう。その新皮質は、大脳全体とともに左右の半球に分かれ、そのうちの表層数ミリのところをいい、前頭葉、頭頂葉、側頭葉、後頭葉に分かれて、それぞれ特定の機能を持っています。

新皮質にはまた、「冷静で理性的であろうとする大脳新皮質の『自分』は、コントロールできない大脳辺縁系の『自分』に戸惑いながら、『自分』の存在を強く感じる。ここで一つの脳の中で『自分』の分離がおこるので、特に新皮質の『自分』はもう一人の『自分』の存在を強く意識する。脳のなかでのこのような自分の分離は、大脳新皮質が発達したためにおこったことであろう。大脳新皮質のほとんど発達していない、爬虫類や下等な哺乳類では、分離はおこりえない」（柳澤桂子『生命の奇跡』）という面もあります。

そして、言語を司る部分と前頭葉と、脳のあちこちにある情報を統合して判断する連合野が、人の脳の内、進化の過程で大きく変化した部分であるといわれています。脳の各部はそれぞれの機能を有していますが、単独で働くよりは連携して機能します。この連合野の発達も人の位置を高めることに大いに係わっているのであろうと思われます。

ヨーガでは「サハスラーラ・チャクラ（百会(ひゃくえ)、頭頂葉）は宇宙と交信するところ」といい、数学者の岡潔は、大正時代の浄土宗僧侶山崎弁栄上人(やまざきべんねい)のいう「前頭葉は理性の座、頭頂葉は霊性の座。これは前頭葉は人の座、頭頂葉が神の座というような意味である」という言葉を引用し、「前頭葉が創造をする」のではなく、創造は「頭頂葉から出る無差別智の光が、前頭葉を裏照らして行う」（『日本民族』『葦牙よ萌えあがれ』他）といっています。とすると、人の人たる所以の究極は頭頂

葉ではないかとも思われます。（このことに関しては二〇八ページ以降を参照）

いずれにしても、以上のようなこれらの能力こそが人ならではの特性でしょう。そして、このような脳において情報はどのように伝わるのでしょうか。

脳において情報伝達に係わっている細胞は神経細胞といわれます。情報を受け取る樹状突起及び神経細胞体、そして髄鞘に覆われた軸索、更に他の神経細胞にこの情報を送るシナプスからなり、これを基本単位としてニューロンと呼ばれています。（⑨図）

⑨ ニューロンの構造模式図

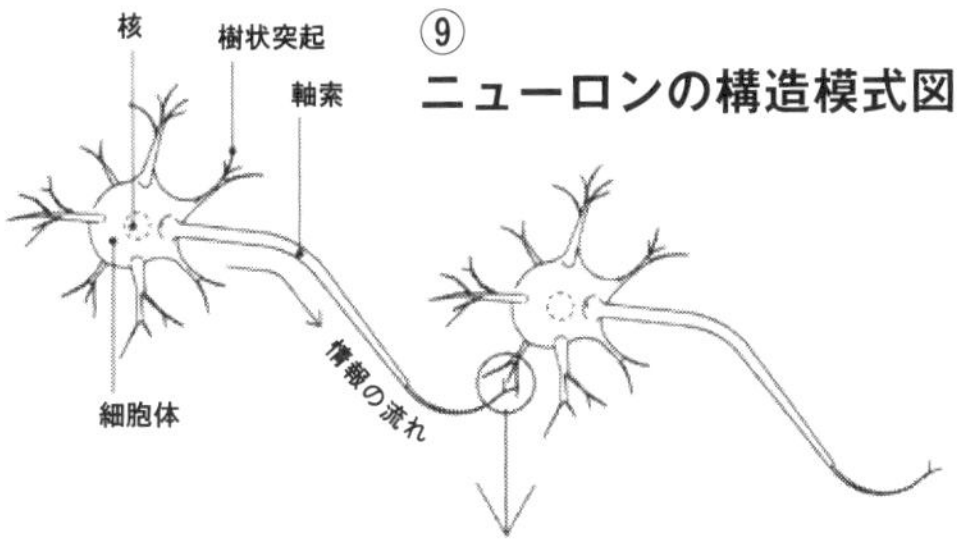

シナプスの仕組

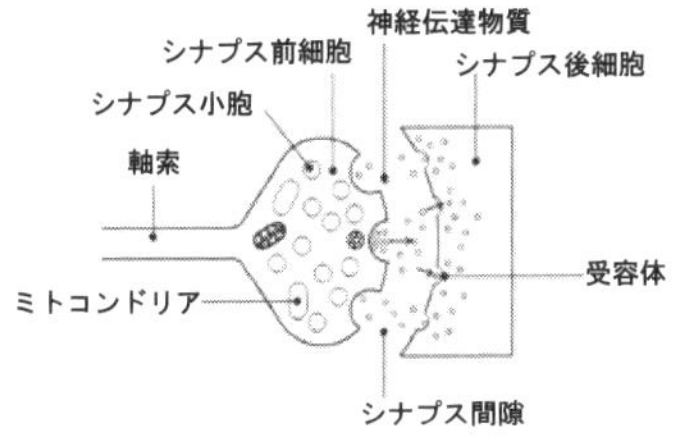

情報はこのニューロン内を電気信号として伝わり、ニューロン間を化学物質の力を借りて伝達されます。軸索が髄鞘に覆われているのは情報としての電気が流れるからです。

ニューロンが受けた情報は、電気的な信号として軸索のなかを伝わりシナプスに渡ります。ニューロンとニューロンの連結部をシナプスといい僅かな隙間があります。電気的な信号として伝わってきた情報はここで、神経伝達物質である化学物質を介して次なるニューロンに渡されます。

情報を受けとる側の神経細胞にある伝達物質依存イオンチャネル（受容体）に神経伝達物質が結合すると、膜内外の電位が逆転し、活動電位が生まれ情報が伝達されるのです。

つまり、電気信号として伝達された情報が化学物質の力を借りてシナプスを通り、再び電気信号として神経細胞内を伝わる、ということであり、そのような伝達は、相対間の反応系によって進行しているのです。

このようにして現在に至った脳は、単に「成るべくしてなった」というだけでなく、何らかの意図が働いてのこと、のようにも思われます。

自然との係わりのなかで

元素の周期律がそうであるように、元素は階層性をもって構成されていますが、自然そのものが階層構造です。ゆえに自然の摂理とは、そのような結果としての姿であるともいえるでしょう。分子から細胞が生まれ、細胞から臓器が作られる……のは容易なことではなく、四〇億年もの時間を要したのです。自然の中に生きる私たちは、先ずはそのようにして生まれた自然に目を向けるのが〝自然〟であるでしょう。

自然は周期を持って運行しています。地球は一年をかけて太陽の周りを廻り、一日に一回自転します。勿論一回転を二十四時間としたのは人であり、これをもって人は時間の単位としたのです。そして、地球の一公転を一年としてその間の自転数三六五を一年の日数としました。これは時間の矢の速さの単位として人が設定したものであり、人はこの単位を持って宇宙の運行を計ってていて、それが人にとっての尺度です。ということは、宇宙の星々はそれぞれの時間の単位を持っているであろうことになり、従って、時間の単位はそれぞれであり、宇宙の年齢一三八億年も人にとっての年齢に過ぎないことになります。

周期に関する身近な例を挙げてみます。人の細胞の周期はどこの細胞かによって違いがあり、例えば皮膚の細胞は約四週間ですが、体全体としては平均的に約三ヵ月ともいわれていますから、三ヵ月前の自分とは変っていても良い筈ですが、人の位置からは解りません。他に、女性の生理は約二十九日、妊娠は約二百六十六日、睡眠は約九十分です。

人以外の生物では、渡り鳥や魚の移動にも周期があり、木には切り旬があります。小鳥にとってはあの俊敏な動きが自分の基準であって、特に早いわけではありません。小鳥からすれば人の動きがけだるいのではないでしょうか。鳥は鳥の基準で生きているのです。ということは、全ての存在はそれぞれの時間を持つ、ということでもあるでしょう。

宇宙の基準も同じであって、何万光年かでとなりの銀河に到るのは人にとっての宇宙の時間・距離であり、銀河にとっては単なる隣なのでしょう。ならば、その単位で何かをしているのが宇宙であると思われます。意味も無く宇宙空間を回転しているだけとは考えにくいことです。

このとき、そこにどんな目的理由があるかは人の位置からは解りません。とはいえ、宇宙の仕組や現象などの観察から何がしかのヒントを得ることはできるのではないかと思われます。というのは、自然という相対を使って感じ取ろうということです。相対を使いその反応系を通して原理原則を理解することができたのは、宇宙がそのような仕組みになっているからでしょう。それならば、私たちの身近なことの観察から、理解の範囲を広げることができるようにも思われます。

例えば、人が何かをなそうとするときに、そのための情報を広く深く求め、その手段を念入りに試み、試行錯誤を繰り返すなかに答えを求めたということであれば、概ねそのような過程に応じた成果を得られるでしょう。それは宇宙がそのように構成されているからでしょうし、繰り返すことができるのは、足りない何かを感じ取りその先を求めるからに違いありません。それが謂わば、成果としての完成度の違いとなるのです。

対して、安易に結果を求めたものが高い評価を得られることはまれでしょう。

現代社会に出回る多くの製品は、工場生産による量産化から生まれたものです。それは、「踏むべき手順を省いているのではなく、技術の進歩による工程の省略や効率化によるものであり、それが現代という時代の価値観であり、シンプル化である」のでしょう。が、いわゆる手作りのものに比べれば、足りない何かを感じることは否めません。

大量生産、大量消費という流れも、産業革命以来の資本に対する効率化の結果といえるのでしょう。それが、近現代の多くの国において、人が築いてきた社会だったのです。ならばその効率化は、この先どこまで求められるのでしょうか。問題はここにありそうです。

この先も効率化をどこまでも追うとき、やがては人の心が擦り切れてしまいそうです。近年、

ＡＩが社会にどう係わるかが話題に上がっていますが、ＡＩが必須の社会であっても、人には安らかなそして充実した生活が送れることが、求める姿ではないでしょうか。

また、人がドンドン物臭になっているのも積み重ねの効果より、効率化への慣れの結果ではないでしょうか。何であれ、係わって初めて係ったことが了解でき、自分への蓄積となるのです。他人任せは任された人に実績が加わりますが、そのようなことを繰り返していると、人そのものが中身のない味わいのない人となりかねません。

人にとって大切なことは、宇宙（自然）の中における人の位置・役割を見据え、そのために必要なことを考え、それに沿った価値観をもち生きることでしょう。そうであるならば、現代という時代は、方向を見失ってきてしまった時代といえるように思います。

先進諸国の諸所の行き詰まりは、このようなことに起因しているように思われるのです。私たちが日常していることは、人の世界の中での相対を使っての営みです。

その限りにおいて私たちの世界を潤すことはできても、宇宙的視点のもと私たちの位置を捉え、その立場から真の目的を感じとり、その役割を果たすということに疎いのです。人の存在理由や宇宙の存在理由は、自然の摂理の中に隠されているのでしょう。

自然を抜きにしての人間界はあり得ないのですが、人の居ない地球はあり得ることです。地球から見て、人は地球の寄生虫であり、地球から不要と見做されれば消される立場にあります。地球がなければ生きていけない人が、「地球に優しい〇〇」とはかなりおこがましいのです。それが地球における人の位置です。そのような立場を踏まえ人の位置を確保し、より上げるために、人ができることとしてあるのが創造性でしょう。人は与えられた位置に甘んじているだけでなく、創造力を使って位置を変えていくことができるのです。

走る速さでは馬に叶わないが、その馬に乗って馬の速さを利用できる位置にはいるし、乗り物を作りだしたことにより馬より早くも移動できるし、物も運べます。鳥のようには飛べないが、飛行機をつくりだしました。X線のように見えない物でも利用する方法を編み出しました。寿命だって、キンさんギンさんを越えて一五〇年くらい可能かもしれません。

その他、農業、工業、医療、金融、情報、等々の世界を切り開いてきたのが人の創造性であり、人の特性です。が、それだけだと、人の世界だけで終わりそうです。

〝自然の摂理が、相対との間で反応を繰返すなかから周期を完成させ、それを積み重ねることによって成り立っているもの〟ならば、人の役割とは、思考性、創造性を使ってその反応系の向上に寄与すること、といえるでしょう。人はその自然の中で営みをしている立場なのですから。

また、思考性、創造性とは感性という心の作用でもあるでしょう。私たちはそのような取り組みを棚上げにしてきてしまったようにも思いますが、自然の摂理の向上に係われる感性が発揮できたとき、人は地球の益虫となることでしょう。そのとき、自然は人の存在を受け入れ、次なるより良い関係が生まれるものと思います。

三　現代社会の諸相

相対感の欠如

たとえば、電車やエレベーターは降りる人が先で乗る人は後が基本ですが、降りる人を押しのけて乗り込む人が間々います。シルバーシートに座る若い人も結構多くいて、この人たちの大半はスマホを見ていて滅多に顔を上げません。若いうちからこれでは長生きできる体力はないのではと気にしてしまいます。同じような意味で、駅にある身障者用エレベーターに乗る健常者も多いようです。本当に体力がないのかも知れないし、安易に楽な方法を選ぶ気質なのかもしれません。

またかなり前のテレビのコマーシャルで、「若いうちから苦労すると、一生苦労するというわよ」という主旨のフレーズのものがありました。冗談的言い回しで売りを浸透できるという読みのコマーシャルかと思いましたが、その種のフレーズを売りのために使うという安易さに、現代人としての危うさを感じました。

これに対し「涙の数だけ強くなれるよ……明日は来るよ　君のために」という歌もありましたが、対極程の違いでしょう。これなら励みになりそうですが、この励みは積み重ねを使っての成長です。積重ねた分だけ相対の視野が広がり深まります。

手軽さや便利さは省略であって相対の視野は広がらず、己を楽にしてくれますが、育ててはくれません。

「歩きスマホ」のように、人や建物や車にまで当りそうになったり、池や線路に落ちたりするまで自分の位置に気が付かない、というのでは相対感覚は異常に希薄だといわざるを得ません。パソコンやスマホなどは個に籠る傾向を強め、人との交流や社会との接点が限定的になっていき、相対感覚はますます薄れていくように感じます。

このようなことは、有形宇宙が、全ては違う一個でできている、ということと関係があるのかも知れません。己一個が可愛く、他とは違う己ゆえの優越さを求めている結果かも知れず、唯識のいう「第七識：自我を統一する自己意識。この意識を根源として無明・煩悩が生まれる。」(『広辞苑』) のかも知れません。ならば「生きている限り常に持続するもの」ともいえそうです。

が、そこに留まれば見るものが見えなくなり、自分をも見失うゆえ自己研さんが必要になり、結局、自己を離れた見方、つまりは相対感を養うことが社会人としての要件となるのであろうと思われます。相対感があり、反応しての循環です。自己に拘れば相対が見えてこないのです。

例えば、シリアやベネズエラに限らず、難民の問題は深刻です。難民の側からみれば自分たちが悪いわけではなく、国を率いる統治者が己の権力を守るために戦っているトバッチリとして、それまでの地を離れざるを得なくなったようなものです。非難されるべきはその統治者でしょう。しかも「人は石垣人は城」ですから、これは国造りの資源の流出です。にも係わらず追い出そうとすらしている統治者とはどのような人なのでしょうか。

　また、そのように弱い立場の一般人が犠牲となっている姿ですから、手を差し伸べるべきなのに、難民に押しかけられた国が何とか受け入れようとしても、それにより職を失い税の恩恵も受けられなくなる立場の人からは不満となり、受け入れ派の指導者を排除しようと、自国第一主義となります。と、行き詰まり袋小路に陥りやすいのです。

　自然は循環してこその永遠性であり、これに反することの帰着は消滅です。循環のためには共生でなければなりません。柔道界には「自他共栄」という言葉があるといいますが、系統樹はすべての生き物に支えられた人を暗示しており、そのような立場である人が、循環する宇宙の姿を描きその役割を熟そうとしない限り、継続性は生まれないでしょう。系統樹における人に至るまでのいずれかの種の絶滅は、生態系の危うさを示していることのように思われます。有形宇宙は相対があっての己であり反応であり、それが永遠性をもたらすのです。個に籠ることは消滅に繋がり、相対感の欠如は現代社会が抱える最大の問題の一つであるといえるでしょう。

効率・利便性の優先

　相対感の欠如を招く一つの要因に、効率や利便性の優先を挙げることができるように思います。ここで「効率」を、投入された全エネルギーとその結果としての仕事の質・量の比としてみます。

　これを、例えば、建物を建てようとするとき如何ほどの費用・工期で完成に至るか、としてみてみると、費用・工期が投入エネルギーであり、完成した建物が結果としての仕事の質・量となります。このとき、同じ内容の建物なら工事費は少ないほど良く、工期は短いほど良いというのが、建築主にとっても工事業者にとっても効率が良いです。

一般的に、時間をかけて造ればそれだけ丁寧に対応したことになり工費もかかりますが、建物の存在感も増しいわゆる丈夫で長持ちを期待できます。が、工期が長引けばその分の使用ができなくなるので、建て主にとっては悩ましいところでもあります。

で、適正な工期を設定するのは簡単ではないのですが、技術や材料の変化と共に構法の工夫などによって短縮を計るのは時代の趨勢です。そしてこのような効率優先は、建築の世界だけに限ったことではなく、現代の価値観の現われでありいずれの分野でもいえるでしょう。

経済は、社会にとっても政治にとっても大切な拠り所ではありますが、その一面を優先するあまり、大事なことを見落としがちでもあるでしょう。私たちは「経済＝貨幣」と捉えかねなく、それ程いわゆる「貨幣（の量）」に価値が偏ってしまったように感じます。

「経済」の意味の「①国を治め人民を救うこと。経国済民。政治。②人間の共同生活の基礎をなす物質的財貨の生産・分配・消費の行為・過程、並びにそれを通じて形成される人と人との社会関係の総体。」（『広辞苑』）からは、少々外れてきているのではないでしょうか。

その一方で、安易に効率や利便性を追求できない世界があります。たとえば、アスリートの立場です。スポーツの世界における技の修得や記録の更新は一つ一つの積み重ねの結果であって、手抜きでは得られません。記録への挑戦や、そのような過程を経てきた者同志が競い合い戦い合う姿が、感動となるのです。

プロ野球の王貞治が畳が擦り切れるほど素振りをしたのも、松井秀喜が自分を褒めたことがないのは成長が止まるからであり、「反省と準備の繰返しだった」というのも、繰り返してこその成果であることを示しているのです。「僕は、野球を楽しんだことなどない」といったのは、ヤクルトを退団したときの宮本慎也だったように思いますが、必死に取り組んだ姿を思わせます。

そのようにして自らを鍛え、試合に臨み、やがて得たことを何らかの形で次代に送り渡していく、それが向上であり循環であるでしょう。スポーツに限らず芸術作品や文化活動、そして物作り一般にとっても、質の向上を求めるには繰返しという努力が欠かせないことなのです。

これに対して、例えば産業化社会では、開発から販売まで同じような積み重ね、競い合いをし、それぞれの成果を得るものの、最後の評価は効率化や収支との突合せとなるのでしょう。ゆえに、大量生産を宣伝力を使って大量消費に繋げ、成果の向上を計るのです。その方向性は産業革命以来であり、効率を求めるゆえの省略による質の低下には、技術力や開発力、或は価格とのバランスで補うという向かい方でしょうが、決め手は宣伝力かも知れません。

今後このような効率化の構図は、合併、吸収などを繰返し、より大きい企業へと集約されていくのでしょう。いずれにしても効率化は、企業にとって存続発展の一大要因です。が、そのようなことはどこまで続くのでしょうか。無限の宇宙からすれば無限の効率化もありそうではありますが、人は何処までついていけるでしょうか。その追求の過程で擦り切れてしまい、人としての生涯を送れないという事態もありそうです。ならばAIに取って代わられるのでしょうか。が、いずれにしても効率化を果てしなく追い続ける姿には、限界があるように感じられます。

心や体は「繰返す」ことによって育てられ、その省略は、手順を踏むことに対する心身の追随が伴わなくなっていくことへの危惧が生まれます。心の劣化も体力の衰えも、効率化、利便性の追求の結果が一因であるように思われるのです。

人が、技術やノウハウの習得、或は物事の意味が理解できるのは、繰返しを重ねた末の果実としてです。これに対し便利さには、過程を省略して結果を手に入れるということがありますから、その省略分の心への積み重ねがなくなります。

したがって心の緻密さがついていかなくなり、やがてそのようなことが社会全体の傾向となると、それが国としての位置ともなります。現在の国際社会における日本の評価が、以前ほどではなくなっているということの背景には、そのような成熟社会によるともいえる事情も絡んでいるものと思われます。

そして、このようなことはいずれ世界中の国々にも現われるようになり、やがては全体が行き詰るのではないかと危惧されるのです。「若いうちから苦労すると、一生苦労する」のではなく、繰返すから身に付き、得ることがあるのです。

元気のない地方都市が多く、駅前商店街がシャッター通りとなっているということも気になる現象です。そのような事態を招く一因として、大店法から大店立地法への切り替えのあった事が働いたでしょう。これにより駐車場整備の郊外型大規模店舗が可能となりました。では何故そうなったのか。海外からの大規模店出店に向けた圧力によるということでしょうが、さらに、より消費しやすい形体を求めての経営の有利性を探した結果、ということがあるでしょう。

その結果、徒歩圏内の商店を利用することで日々を送っている人や、そのような人を対象とした店の経営者にとっては辛いことになりました。街はそのようなことから生まれ賑わってきました。が、郊外型の大規模店は、一網打尽にしてしまうかのような特定企業の利益優先的形体とも思えてしまいますし、格差の拡がるスタイルともいえるでしょう。

そしてこの先、少子高齢化に向かう日本にとっての社会の在り方として、また、ネット販売の拡大などに鑑みるとき、次代の形体はどのようになるのでしょうか。

現代は、便利さに嬉々としているその間に心が蝕まれていくという構図が当てはまる時代、のように思えることが多いのです。典型的な一つにスマートフォンがあります。歩きスマホの危険性は多くの人が認めるところですが、それでいて止められないのは、それ程の便利さ、止められない魅力があるからなのでしょう。

仲間が集まっても、それぞれがスマホに釘付けされていて会話がありません。また、単なる電話やメールだけではなく、乗り物の時刻やルートの確認、チケットの予約、支払い、地図、辞書……等々の多様な情報の取得機能を備えており、携帯用パソコンとして使い慣れたら手放せないツールとなっていて、眠りに入る直前まで没頭するほどです。

となると、睡眠障害や内斜視を招きそうですが、それほど依存性が強いということは、集中力の低下やテレビ的受け身の行動性とともに、生産性や創造性も低下するであろうと危惧されます。

更に、そのような低下は心の劣化の結果であり、それがさらに心を劣化させるという繰返しになることも恐ろしいところです。車の自動運転なども便利さや安全性を謳いますが、その分の人の能力は不要となるということは、良い事ばかりではないでしょう。

効率性や利便性は省略化に繋がり、省略をすることによって繰返しの結果育てられる心が養えず、粗雑になりかねないことが問題となります。この種のことが社会全般に広がっていて、現代社会における心の劣化は、ここに負うところが大きいのではないかと思われます。

技術の発達が省略を可能にしてくれるとみるとき、工場生産等に対しては貢献であるといえても、人の心に対してはプラスとは限りません。

まえに述べたようなアスリートだけでなく建築の職人さんも、食や衣に携わる人たちも、毎日対象と向かい合うことで体に染み込むことが、その人ならではの感覚を作ります。

さらに、その向い方の違いが技量の差となって現われます。これらが意味する基本は、繰返しです。それが内容の違い、質の違いを生み出し感じさせるのです。

アナログ的とデジタル的ともいえそうなこのような過程の違いが、質の違いとなって現われているように思われます。その意味ではいわゆる芸術作品等も、更なる完成度を求めての繰返しのもと生まれるのですし、文化活動ほか物づくり一般がそのような結果のものであります。奈良や京都、鎌倉などを人が訪ねるのは、そのようにして生まれた文化財とその佇(たたず)まいに触れたいためです。ということは、数百年或は千数百年経っても人を引きつける魅力をもっている、ということでもあります。

また、野菜や果物などの季節の産物も、本来自然のサイクルから生まれるのであり、その分の自然の摂理の思いが込められた味である筈なのに、そうではないというのは、過程のどこかに齟齬があるからでしょう。実はそのような齟齬は、生態系の維持に係わる深刻な面を孕んでいて、その意味では、現代社会全体の問題でもあるでしょう。

人の健康も根は同じところにあるともいえて、動く物は動いてこその体でしょう。例えば、年配の人と若い人が同時に歩き出せば、百メートル、二百メートルと進む間に差が出てきて、使う、繰り返すは答えを出しているのです。細胞は使わなければ劣え、消滅します。筋肉の細胞だけでなく、骨も、脳も……。

効率や利便性の追求は現代社会の趨勢でしょうが、そうであったとしても、そのようなことによってもたらされる結果生まれる心の劣化が、最も気になるところです。それは、社会の進むべき方向に誤りがあったことを示しているのではないかと思われるのです。

心も体も繰返しのもと成長します。相対は「継続の方向、向上の方向」への反応でなければならないでしょう。劣化を繰り返した先は格差社会を生み出す一因ともなり、やがては消滅するのではないかと危惧されます。

格差社会の弊害

今見てきたようなことを組織の業務スタイルとしていることの原点にあるのは、資本主義経済というシステムでしょう。資本主義の場合は、資本の効率的運営が基本の一つであり、その例が効率性や利便性の追求として現われます。そしてその結果、資本家と労働者との間に格差を生むことになります。

資本家とは株や預貯金、不動産などの所有者のことです。ゆえに株や不動産とは資本主義経済の賜物であり、究極的にそれらの価値を株という形に置き換えて持ち合うことが資本主義経済を支える一つとなります。一般的にオーナーが多くを持ちますが、その分配は金銭的売買が基本です。そして、株式市場での株の売買は業績を背景にした資金集めでもあります。ゆえに、それら資本や業績の価値評価を貨幣に置き換えていることになります。

で、資本主義経済＝貨幣の構図が生まれます。そして、そのようなことが可能となるのは、資本を貨幣に置き換えたその貨幣に信頼性があるからです。

ユヴァル・ノア・ハラリが『サピエンス全史』でいっているように、「……貨幣は人類の寛容性の極みでもある。貨幣は言語や国家の法律、文化の規準、宗教的信仰、社会習慣よりも心が広い。貨幣は人間が生み出した信頼制度のうち、ほぼどんな文化の間の溝をも埋め、宗教や性別、人種、年齢、性的指向に基づいて差別することのない唯一のものだ。貨幣のおかげで、見ず知らずで信頼し合っていない人どうしでも、効果的に協力できる」のは事実です。が、そのように信頼性が増せば増すだけ万能型となり、全ての価値観の中心的位置づけとなります。

経済学者のトマ・ピケティは、資本収益率が経済成長率を常に上回ることを通して、「富めるものはますます富み、労働者との格差が開いていく」ことを示しました。資本収益率とは株や預金、不動産などのあらゆる資本から生み出される収益率で、この伸びは経済成長率でもある国民所得の伸びを上回るという見解です。このようにして生まれた格差社会はますますその差を広げ、民主的な社会に矛盾が表れるといいます。(『週刊ダイヤモンド』二〇一五年二月一四日号)

ピケティでなくとも、単純に考えて、百分の一割が年々増えるのと、十分の一割が年々増えるのとの差が、時間の経過と共に広がるのは明らかです。一%の富裕層の所有する富が九九%の一般人のそれに等しいといわれたり、二六人の富豪の資産が三八億人の貧困層と同額、といわれることに通じます。このようなことは企業レベルでみたときにもいえるでしょう。

大企業が中小企業を吸収し、或は大企業同士が合併し、さらに大きな企業へと移行しているのは、対応する問題が広範囲になり、高効率になり、設備投資が増え、規模・量の拡大を図らなければ時代の変化に対応できない、という事情などの表われでしょう。

これは、企業はますます大規模化し、中小企業や消費者側は取り残されるということであり、格差はますます広がるということでもあります。資本主義に被われ巨大化・効率化が進むと、やがて立ちいかなくなる国が出てくるのではないかとも思われます。私企業による国のランク付けによって、国が左右される時代でもあるのです。

また実業家に限らず政治家や富裕層の中には、持て余す金を「パナマ文書」や「パラダイス文書」などが暴いたようにタックスヘイブンに振り向け、税逃れをも画策して富の囲い込みをしようという人も多いのですから、九九％側の人にとっては堪りません。

一般的に、社会的地位のある人は、忖度を受けることが多くなります。成行きとして周りにはイエスマンが多くなり、組織が硬直化し、柔軟性・活力がなくなるのです。これは一党独裁の弊害と同じであり、その根本は、相対感が薄れ反応系が弱くなることにあります。

本来の忖度とは「他人の心中をおしはかること」であり、思いやることで社会がうまく機能し、効率よい循環ができるという意味では日本的な良さであろうと思えても、それを我田引水的な使い方とするならば、社会の秩序は保てなくなるという性質のものでしょう。

その他、格差社会や物質主義に煽られ、全てに通じるところの貨幣がらみの犯罪が多くなっている事も傾向でしょう。汚職や選挙違反はいうに及ばず、民間だけでなく役人までもがデータの改ざんや廃棄をし、弁護士が資産を略取し、親が子をいびり、ネット犯罪多発の現状です。

それらはいびつな社会が招いた弊害でしょうが、そのような人が生まれる社会になってしまっているという表れでもあります。

「富める者は益々富み、そうでない人もそれなりに」なら未だしも、格差の広がりはそのような社会を約束はしてくれず、混乱はますます広がるばかりです。格差社会を生み、権力者・独裁者を生んだ現代社会は混乱状況にある、というのが状況でしょう。

そして、他国に先んじて少子高齢化という現象を迎える日本においては、更なる問題が加わり、社会構造の一遍といえるほどの改革に追われるのではないかと思われます。人口が増え続けることによるそれ行けドンドンの時期と、漸減のなかでのシステムは自ずから違うでしょう。例えば、高齢者が増えるということは、九九％の労働者が一％の事業者を支えるのではなくなり、余程の高効率化やその他の改革がないと、資本主義は行き詰るであろうことが予想されます。

「人々はなぜ、このような致命的な計算違いをしてしまったのか？　それは、人々が歴史を通じて計算違いをしてきたのと同じ理由からだ。人々は、自らの決定がもたらす結果の全貌を捉え切れないのだ。種を地面にばらまく代わりに、畑を掘り返すといった、少しばかり追加の仕事をすることに決めるたびに、人々は、『たしかに仕事はきつくなるだろう。だが、たっぷり収穫があるはずだ！　不作の年のことを、もう心配しなくて済む。子供たちが腹を空かせたまま眠りに就くようなことは、金輪際なくなる』と考えた。それは道理に適っていた。前より一生懸命働けば、前より良い暮らしができる。それが彼らの胸算用だった」（ユヴァル・ノア・ハラリ、柴田裕之訳『サピエンス全史』上）

それは、等価還元の仲介が貨幣であることにより、そこに拘り過ぎたのかも知れませんし、等価還元でなかったのかも知れませんし、……。実は、その貨幣を生み出すものが他にあり、例えば、超能力や自在力、神通力です。人知を超えた能力、全てが自由自在の力、神に通じる力、これらがあれば貨幣は目的にならないでしょう。

が現代は、そのような超能力や自在力さえも貨幣（金）で買えるがごとき勢いです。一つの世界に嵌ってしまうと他が見えなくなるのは人の位置でもあるでしょう。

現在の資本主義経済もこれと同じような状況にあるように思われてなりません。より良い生活を、より多くの富をと、際限のない世界に入ってしまったようなものです。

現在の社会的格差は、経済的格差に代表されるといえるでしょうが、本来、相対感が社会を成立させる基本です。自然という相対を使い己の位置を問い、人が集って生きる社会の在り方を求め、向上性ある循環型の世界にむけたシステムへの転換を計るべきでしょう。

そして新型コロナウイルスが、現代が格差社会であることを浮き彫りにしたのは、そのようなことの見直しを促したのかも知れません。

多難な現代

現状における人類社会の行詰りは、世界中のそこここにあるという程ですが、その中でも盛沢山といえるほどの問題を抱えている地域として、中東はその筆頭といえるでしょう。

ここには東のアフガニスタンからイラン、イラク、シリア、ヨルダン、パレスチナ（自治区）、イスラエル、トルコ、サウジアラビア、そしてアフリカ大陸北側のエジプト、リビア、アルジェリア、スーダンなどまで、国名を挙げただけで、それぞれにそこにおける問題が浮かぶほど、入り乱れての多くの難問があります。この地は、遡れば古代文明の発祥の地であり、ユダヤ教、キリスト教、イスラム教の誕生の地でもあります。

アラビア半島やその周辺に住みアラビア語を母国語としていたアラブ人の国々の他に、イスラム化の拡大とともに非アラブの国々も台頭します。更に、欧米諸国やロシア等の関与と共に、気候風土の違い、宗教、民族、石油の埋蔵、利害などが複雑に絡み、問題を益々難しくしているのです。中でもイスラエル、パレスチナの軋轢は難問です。

唯識やその他でも触れてきましたが、個人に限らず企業でも社会でも国でも、現在の姿は、現在に至るまでに係わった全てのことに裏付けられた結果のものです。イスラエルもパレスチナも、聖地とされるエルサレムを自分たちの拠り所として相手から解放しようと、戦いを繰り返すだけでも、現在の姿をそのような結果として現すわけです。

が、その過程において、自国内にも強硬派や慎重派の対立を生み、加えて思想や信条、経済等々が絡むと、さらに解決が困難な状況として現われます。

そこに、国外から各々の立場における利害をもとに、援助や制裁が加わると益々複雑化し、自国が利用されているのではないかと思えるほどにもなります。今や、深く絡み合った数々の問題を解決することの困難さを前に、国も国民も終わりの見えない歩みをしている現在です。

まさに乱れに乱れて、これを解かないと解決に至らないのだから大変です。やられたらやり返す式の仕返しの応酬を収める手立ては乏しく、「憎悪は憎悪によって止むことはなく慈悲によって止む」（仏陀）を聞き入れられる状況にはありません。

他方、一九八九年のベルリンの壁の崩壊に象徴されるように、東西冷戦の時代が終りました。それまで多くの枠に嵌められていた東側の人びとは、バラ色の民主主義の世界を期待しましたが、経済格差や価値観の違い等々に戸惑い、早急な変化に馴染めませんでした。それなりの自由と繁栄を得たものの、多額の債務を負い、若者は西側に流失もしました。

そのような混乱に乗じたかのように、民族の団結や難民受け入れの拒否、自国第一主義、或はEUからの離脱などを掲げて、アイデンティティーを通して不安を煽る独裁色の強い政治が、共産主義国家のみではなく、選挙が基本である筈の民主主義国家をも脅かしているのです。

一般の国民にとっては安全・安心が良いのですが、その国民を己の支配下に置こうとする一部の指導者の権力争いに巻き込まれているだけのようにも映ります。立場を利用した多額の蓄財も、目に余ります。己に有利な体制の維持は権力者にとっての死活問題ですが、その利権のぶつかりあいのトバッチリは迷惑な話です。不正な蓄財が蔓延すれば、全体的な腐敗となり、国としての行く末も己の命の継続も危うくなるでしょう。

政治の本来は、民の代役として民のために働くことが務めで、その民からの拠出金が代価であった筈です。であるのに欲が出るのは、利権を持っていると誤解するからでしょうか。このような問題も各国共通で、独裁的政治家が増えている状況は、自治体、民間ともに悩みの種です。

勿論、誠意をもって取り組んでくれている人には気の毒ですが、多くがそうであるかのように見えてしまうのは、一部が全体と見間違うほどのインパクトがあるからなのでしょう。

政治家がはき違えているからか、或いは社会システム自体に問題があったからなのか、財政危機で悩んでいる国が多いのも事実です。経済優先という価値観が招いた結果ではないかとも思われますが、一時話題になったギリシャ、トルコ、スペイン、イタリア、そしてウクライナやマレーシアなどのその後はどうなのでしょうか。

海洋進出などで注目を集めている中国は、東南アジアだけでなくヨーロッパやアフリカその他各国で存在感を高めています。道路や橋、港湾など次々と援助をしつつ実績を作り、先行投資宜しく発言権を広げているのです。一方、その一帯一路が中国中心であり、高金利などによりやがては関係国を属国化するのではとも囁かれていますが、その関係国のトップにも問題ありとの見方も出ています。マレーシアのマハティールはそのような状況下で再登場したのでした。

その中国は今や世界第二の経済大国となり、牽引者的役割を期待されてもいます。が、日本やアメリカの他、幾つかの国々で、ハッカー集団による不正アクセスが起きていることに対し、アメリカ司法省が「公共機関や研究所、企業等にサイバー攻撃をかける集団が中国の国家安全省と関連している」と断定、とのニュースもありました。

また国内的にも、株式会社中国共産党ともいえるような政策による経済成長を果たしつつも、不動産バブルの崩壊や一人っ子政策の歪(ゆが)み、新型コロナウイルスへの対応なども問題視されています。警察権や裁判、医療、言論……を含めた情報をコントロールする一党独裁の政治手法は、全世界をもその傘下に収めようとしているのではないかとも思われ、相対をもたない絶対的な進め方だけに、この先の世界のかじ取り役としては不安が残ります。

一四億に迫りつつある人口を擁する中国であれば、潜在的経済力は魅力的で、多くの国、企業が擦り寄りますが、数の力は秩序のもと発揮できるのが有形宇宙です。対して、あの手この手でノウハウを得て、製品精度を二の次としてコピー製品を送り出す手法を良しとしているやり方は、目的、理念をはき違えているように思えます。また、安い労働力も時間の問題であるでしょう。ゆえに、そのような国が世界をリードする立場になることに、恐ろしさを覚えるとともに、やがては行き詰るであろうと危惧されます。そして、老子、荘子、孔子などを輩出した国であることを思えば、今、国自体が方向を見誤っているのではないかと、危うさを感じる事態でもあります。

更にロシアや北朝鮮なども、国の関与のもとのサイバー攻撃を他国の中枢機関にしているといわれます。ならば、西側諸国もそれなりのことをしているのではないかとも思われて、インターネットを使った情報合戦やフェイクニュースなどに惑わされ、人自身が、訳の分からない立場に置かれている状況でもあるでしょう。米中の覇権争いに限らず、後から後から出てくる問題への対応は、世界を巻き込みますます難しくなりそうです。

先進国・中進国がこのような状態ならば、途上国などはさぞかし辛いのではないかと思いますが、こちらの実態もどうなのでしょうか。多くの人が憧れてしまう面を持つブータン国に於いて、国民の抱く幸福度が下がっているといわれていますが、物質主義の浸透によるものではなかろうかと気になるところです。

かなり以前のことですが、東南アジアの一部では、人々に物を与えてキリスト教への入信を勧誘することも起こっていたと、耳にしたことがありますが、その通りならば恐ろしいことです。

いずれの国であれ、国内の安定を計りつつ国際的位置付けで後れを取らないようにと、内外を見定めての政策を進めてきたのでしょうが、それぞれに問題を抱え、内輪で処理できる限界を超えてきてしまっているということが、実情ではないでしょうか。

憂慮すべき状況にあることでは、日本もまた例外ではありません。例えば、一千兆円を超える借金です。積もり積もった借金がここまで増えたのは予算を前借して使ってきた結果です。これに加えて更に、新型コロナウイルスへの対策費が加わります。と、約一割ほどが一気に増えるのです。これで国の安全と安心は成り立つのでしょうか。しかも、少子高齢化のなかで。

例え借金大国となって、民間の格付け機関による国の格下げがあっても、技術力や経済力で挽回できるという安易な期待や、金利が上がれば解決しやすくなる、ということではないのです。やはり深刻に受け止めて、取り組んでくれなければ困る問題なのです。

物質主義は、右肩上がりの経済への期待とともに社会の中心的仕組みになっていましたが、それも、右肩上がり神話への期待があったればこそでした。コロナは、そのようなことに対して見直しを促したようにも感じました。

資本は、技術を育み、設備を整え、雇用を生み、競争力を付けます。結果、社会を盛り立て、人々の生活を支えてくれます。が、そのようなことが成り立つのは経済に対する信頼があるからです。ところが私たちは、バブルを通して右肩上がりは保障されたものではないことを学習しましたし、リーマンショックやコロナショックのようなことも体験しました。

そして、どこかで歯車が狂うと人の力では立て直しが難しい事態に直面することも学習しましたし、資本主義経済には危ういものを感じるようにもなったのです。

ユヴァル・ノア・ハラリがいっているように「貨幣は人類の寛容性の極み」です。そのためにはどこまでも信用です。後進国の貨幣の交換が自由にできないのはその信用がないからです。それは国家の存続問題に発展することもあります。

例えば、信用度の高いアメリカが金利を上げると、それまで利ザヤを稼げると投資をしていた国から資金を引き揚げてアメリカに移します。すると投資家に去られた国では途端に政策に影響が出る、という事態も起こるのです。

緑のオーナー制度のように国の関与する投資でも見込み違いが起きます。一二六兆円と言われる年金も、一歩間違えば大きく目減りするのです。株式もそうですが、思惑の世界です。ネット上の仮想コインはその良い例でしょう。

倒産会社の信用売りのように、際どいところに投資をすると大きな賭けに繋がりますが、等価交換という信頼で成り立っているのが貨幣経済であるでしょう。

実体がないのに思惑が先行し、投資や衝動買い、見栄買い或は、物に対する際限のない欲望に振り回され、などによって人心が蝕まれることがより深刻です。

そして、二〇世紀も終わりに差し掛かる頃のバブル期には、それまでの土地神話なる現象が信じられ、土地の値段が下がるということは考えられないことでしたし、全ては右肩上がりで推移するものと信じられていました。物価が上がり賃金が上がり、支払いも増えるが収入も増えるとリッチになった気分になり、気持ちも大きくなり、高額な建築費も気にせず家を建てたりビルを買ったりしました。

「日本の経済力をもってすれば他国をも買えてしまう」となるともう有頂天で、インフレもピークです。で、実体の伴わないバブルは見事に崩壊しました。

実体の伴わないのは経済だけではなく、人心もそうです。現実から離れた願望を持って、そのことに気付かないことはより深刻です。そのような社会を経て、今や巷には、アルコール依存症やストーカー行為、安易な殺人、そして振り込め詐欺や危険ドラッグ、ネット犯罪……が蔓延し、裁判官や警察官、消防士などの、人々の生活を守る立場の人が法を犯している現状ですし、生活保護の受給者は二百万人を超える状態です。

一時社会全体に混乱を与えた姉歯事件も衝撃でした。設計を進めるとき、コンセプトの追及もさることながら、精一杯の気遣いをし、それでも気の回らないところ、勘違いをしているところなどがないかと、チェックをしつつ進めることが通常です。が、意図をもって構造の偽装をしてしまうのですから、これも考えられません。とんでもないことが起きたのですが、〝他の分野でも似たようなことがあるのでは〟との危惧もしました。というのは、そのような事件を起こす人が世に出てくる社会になっている、ということにこそ問題があると思ったからです。

そして、これまで記してきたような、人の生活が影響してか気候の異常や地震なども深刻です。想定外の降雨、気温、台風、竜巻さらに地震。一時間当たり一二〇ミリや一日で四九〇ミリの降雨はかなり異常です。山間部における土砂崩れに限らず、河川の氾濫や、市街地に於ける排水や建築物の排水の限界という事態が、ますます起こるでしょう。

異常気象は、地球の側からすれば単なるバランス化の結果です。前線に湿った空気がぶつかれば降雨となるのは自ずから然りです。そこに、強い上昇気流を持った低気圧の台風が、海水温の上昇によるエネルギーを得て一体となれば、予想を超えた強風、豪雨を招くのは自然が悪いのではありません。そのような事態を招いたことに問題があるだけのことです。

要は地球の温暖化その他、人間側の問題が多いということです。異常気象とはいうものの、過去にも同じようなことは起こっており取り立てて異常なのではない、という見方もありますが、それならば、そのようなことに対応できなくなっている社会や生活様式に問題があるともいえ、ならば、その種のことは価値観の問題・心の問題でもあるのです。

資源の枯渇、環境の悪化は、動植物の植生にも影響を与え、海洋生物の棲息域の変化、山から下りてくる動物や季節を違えて咲く花、春先の花粉、新種のウイルスなどを招いているものと思われます。エイズやエボラ出血熱、デング熱など、予測外の病魔に脅かされてもいます。

抗生物質に強い耐性を示す菌による院内感染や、動物を媒体とするウイルスによる感染など対策の難しいものや、冬期における新型のインフルエンザ他、人の生活を阻害するような事態も続々で、気がつくと遠い過去のことのようにすら思えるほどです。

二〇二〇年には、これまでのサーズやマーズに次ぐ新しいコロナ型ウイルスが世界中に拡散しました。コロナ対策は、いわゆる自然災害に立ち向かう方策とは正反対の対策を講じる必要がありました。つまり、「行動しましょう」ではなく「動くな」という自粛が促されたのです。人や物の国内外の行き来も制限され、各国の産業や日常生活の受けるダメージは大きくなりました。

いずれの業種であれ人・物の動きが滞ると立ちいかなくなるのが現実です。すると、経済全体の先行きも見通せなくなり、景気の悪化に深刻な影響を及ぼすのではとの憶測から、世界の株価の乱高下に連鎖が生まれます。史上最大の上げ、下げ、という程の値動きです。

その傾向に少しでも改善の兆しがみえると、一部では長引く外出禁止などに対しての不満が表れ、国によってはデモも始まると同時に、それを抑止しようという動きも起こります。ウイルスをうまく抑え込めた国、手こずっている国、ピークの見えない国、第二派の国……等々、各国の事情や人・物・金が複雑に絡み合い、形として現われます。

そして、当たり前と思っていた日常が送れることの意味深さとともに、それ以上のことを暗示したのは、私たちにとって大切なものは何かとか、良いと思って築いてきた文明に問題はなかったのか、というようなことではなかったでしょうか。

加えて、更に追い打ちをかけたのが、夏の九州を中心とした豪雨です。梅雨前線の居座りを端に、観測史上最高という雨量で私たちの日常を奪ったのです。新型コロナは主に、経済を通した社会体制の在り方の見直しを促しましたが、この異常気象は自然との係わりを訴えました。そのような意味で、ここに書いてきた諸々のことを見直さざるを得ない程のインパクトを、二つの災害はもたらしました。

東西冷戦の時代が終わり、ポピュリズムの台頭があり、独裁色の強い権威主義的政治が横行し、経済最優先による欲望の時代ともいわれる現在ではあるでしょう。そのようなタイミングで起きた感染症の猛威や自然災害は、私たちに文明の切り替えを迫っているようでもあります。そのとき、全ては向上的循環があっての物種であると、大いに気になるのです。

チコちゃんに、全人類に向っていって貰いたい。「ボーっと生きてんじゃねーよ！」と。

閉塞感の回避

以上、現状での憂うべき幾つかのことを見てきましたが、これらに共通のことを捜すならば、最も基本にあるのは心の問題であるといえるでしょう。

有形の世界は、全てが一個として存在しています。〝唯一只一人〟の己という存在を守ろうとするのが、一個たる己にある属性でもあります。謂わば掛替えがないのです。変わりがないから大事にしたい、充実した人生にしたいと、己に拘るのです。全ては一個であり、与えられた生を精一杯生きたいのは共通です。

唯識のいう第七識の末那識とは、自己意識ゆえに生まれる煩悩をいっているのでもあるでしょう。大事にしたい一個、そしてより充実させたい一個は、人でも家庭でも会社や国でも同じです。その一個の存続、充実のために有利な方向への反応系が働く際、人の場合はその末那識のような機能が介在することによって、その働き方を歪曲することがあるということではないでしょうか。そして、秩序が乱れ継続性のある循環が果たせない事態となることもあるのです。

その一つが貨幣への拘りでしょう。拘ることの一つに、先行きに対する不安を挙げることができるでしょうが、充実した人生を考えるあまり、際限のない欲望を助長してしまうこともあるでしょう。ユヴァル・ノア・ハラリがいうように（『サピエンス全史』）、「貨幣には普遍的転換性と普遍的信頼性があり」、そのおかげで「交易や産業で効果的に協力できるようになった」が、「人類のコミュニティや家族はつねに、名誉や忠誠、道徳性、愛といった『値のつけられないほど貴重な』ものへの信頼に基づいてきた。それらは市場の埒外にあり、お金のために売り買いされるべきではない」。そして、「私たちが信頼するのは、彼らが持っている貨幣だ。彼らが貨幣を使い果たしたら、私たちの信頼もそれまでだ」ということに振り回されることになりました。

一人一人がそのような思いに囚われると、集って生活する社会性に疑心暗鬼が生まれます。また、そのような貨幣は特定のところに集まり、循環が希薄になる面もあります。その場合は、各々が社会のがん因子でもあることになります。

現在の私たちが豊かな時代にいるという豊かさは、多くの犠牲の上に成り立っています。特に、先進国の豊かさは地球環境・資源との交換の上のものであり、また、後進国の犠牲の上に成り立っている面もあるでしょう。そのようなことを振り返ると、豊かだと思えるのは一部の先進国だけであり、しかもその社会から豊かであるかのように誘導されて踊らされているだけで、実態としての豊かさのなかには居ないのではないかと思うこともあります。或は、思い違いをしているだけで本当の幸せとは違うところにいるのではないか、と感じることもあります。

何故なら、人の心がどんどん荒んでいるように思われます。人々が本当に幸せを感じ充実感を実感できるのならば、その心にも信じ合える技量があって良いのではないかと思うのです。例えば、物づくりにおいて、より効率のよい方法を取り入れようとすること自体、人の温かさから離れていくことのように感じることもあります。

効率化を追うとき、際限なく続くその効率化を果たしてくれるのは機械力になるでしょう。が、効率化はプラスもありますがマイナスもあります。

問題はその方法が、人類社会の継続や循環・向上に繋がるか否かではないでしょうか。過去においてて、会社の収支のためといって、熟練者の退職を促し人件費の負担が軽い若手を残すこともありましたが、一時凌ぎであり会社としての特質やノウハウを捨てることにもなりかねず、すると、ますます先行きが見えなくなります。

建築における新製品と称する物は、技術を必要とせず容易に取り付けられる方向での開発品であることが多い状況です。量販店の家具などを見ても、工程をかけないで作れるデザインであるし、衣料品に於いても同じデザインの色違いで多様化を見せている現状です。

そのようなことが、そうせざるを得ない状況にまで追い込まれてしまっている現われならば、ますます現在の社会の在り方、価値観の仕組での先行きには不安がよぎります。そして、それを良しとして受け入れている心の在り方を思うとき、人としての限界をも感じるのです。

宇宙はスパイラル的継続型世界であるといえるでしょう。つまり優性遺伝子支配の循環型です。ですから、そのような仕組みの一環である制度でない限り定着しないでしょうし、そのような方向での推進が人の役目であると思われます。そうであって初めて、人自身が充実できる位置になれるということではないでしょうか。そうなると、人類全体が幸せと思える気持ちになれる価値観は、資本主義・貨幣経済の他にもあるのではないかと思えたり、或は、仕組・運営・価値観の拠り所に改めるべき余地があるように思えたりもします。いずれにしても、それ行けドンドンの時代は終って、全てにおいて見直しが必要なのではないでしょうか。

飛躍すると、資本主義貨幣経済が通用するのは地球だけであって、宇宙ではほかのシステムで運行しているのではないかと思うこともあります。すると、地球上で起こっているいろいろな反応系は、その反応に係わっている周りの要因のみによっておこっているだけではなく、月や太陽との関係で起こる地球全体のシステムの一つとしての反応系である、ということも見えてきて、世界が広がることにもなります。そのような視点で見ると、価値観が変わり行動も変わります。

3・11の地震にしろ原発にしろ、数百年の単位でみるとあり得ない地震でも、千年単位に広げると見えてくるということに同じです。人の持つ日常的尺度では百年程度ですから、千年は身近ではなくなり遠い先のこととして視野から消えかねませんが、実は数十年以内がその千年目かも知れません。或はその単位を万年に広げると、桁違いの見解が生まれることにもなります。

中東の問題などは、日常的な憎しみの重なりが大きく、やられたらやり返す式の繰り返しに陥っている感があります。解決の道のりが遠いのは、感情が織り込まれた心の問題だからでしょう。そこを抜け出す視点を得ることが必要なのではないかと思われるのです。

トランプ大統領の「アメリカ・ファースト」は、アメリカという個に籠り、アメリカにとっての経済的有利性に判断の基準が置かれていることに、そして、それを貫くために「フェイクニュース」という概念を広めたことに、人の進むべき方向を考えたときの危うさを感じます。

ハラリがいうように、信頼性があって貨幣であるように、信じ合えるからこその社会であり、不信感に満ちた世界からは、凍りついた発展性のない生き甲斐を見出せない人の世が浮かびます。

物議をかもすことが多く両面性もいわれるトランプですが、そのトランプを大統領に選ぶ土壌が社会に生まれている、というより、私たちはそのような社会をつくってきてしまった、ということにこそ目を向けるべきでしょう。今どきの若者とは自らそうなったのではなく社会が生み出した、のであることと同じです。

国際政治学者中西輝政の『アメリカ帝国衰亡論・序説』には次のようなことが書かれています。

「『一帯一路』や『ＡＩＩＢ』などの雄大なヴィジョンを持った中国の野望――たとえ成功するかは疑問だとしても――に対して、もはや何の理想もない『アメリカ・ファースト』の孤立主義を標榜するトランプのアメリカが対抗できるのでしょうか」

「繰り返すようですが、地政学的な大変革があって海の時代は終わり、抑止の時代が終わり、さらに今は、『プロパガンダの戦い』が世界史の主流になっているということです。すなわち、意図的な情報（あるいは偽情報）の流布によって相手国を特定の思想や世論、あるいは体制へ誘導するという、『人の心をめぐる戦い』になっているのです」

「また、今の世界で一人内向きになっているトランプのアメリカを尻目に、『グレイトゲーム』とでも呼ぶべき大地球争奪戦が始まっているのです。それは目に見えないし、軍事力も使いません。しかし人間の心を操って大陸ごと奪うという、『競合する多極化世界』が定着していく時代が来ているのです」

そのようななかで中国や北朝鮮が今後どのようになっていくかは、身近に位置する日本にとって、また、国際的にも我々人類にとっても大いなる関心事です。

十四億の民を束ねるのは容易ではなく、一党独裁はそのために有効なのでしょうが、香港や台湾との向き合い方が難しくなっている昨今でもあり、やがて民主化が避けられなくなったとき、ちょっとした読み違えが取り返しのつかない結果となることもあるでしょう。この「取り返しのつかない結果」は、全世界、地球規模になる可能性すらありそうです。

エネルギー獲得や情報操作で世界をリードしようとしているかに見える中国ですが、思惑通りに進むことへの恐れと共に、それを阻止しようとする国々との覇権争いも、不安を掻き立てます。

何度も取り上げてきたように、私たちは現在さまざまな問題を抱えるに至っています。環境、エネルギー、社会システム……。私たちを取り巻く世界では、引きも切らない勢いで難問続出であり、それらの一つ一つが本来重大事であるにも拘らず、上書きする如く次々と起こるから、その重大事があっという間に色あせてしまう程です。

世界的潮流でみたとき、それが現在の人類の置かれている立ち位置でしょう。今や人類社会の継続にとっても予断を許さない状況であると思われます。

民主化は私たちの望むところとして、それをどのような形で進めるかは難しく、資本主義も社会主義も描いていたような姿には納まり得なかった、という現在であるといえるでしょう。それは、貨幣にとらわれた資本主義や、独裁的な共産主義的社会主義が招いた結果なのでしょう。また、それらを招くに至った人という存在の属性が招いた結果であろうとも思われるのです。

結局は、人類のこれらすべてに係わっている〝心の問題〟を突き詰めないと継続性ある人類社会は描けない、という思いに辿り着くのです。

現代社会の行詰りの最も大きな要因は人心の乱れでしょう。次からは、その心の問題を見てみることにします。

第Ⅲ部　人間の分際

宇宙の一隅に棲息する我々の立場を思うとき、宇宙とはどのようにして生まれどのような背景をもつのかを考えてみることは有効でしょう。つまり創造主の視点を伺い想像してみることです。

また、創造性、思考性を持った人類は、自然と人との関係を追及するなかから、ヨーガのような自然との一体感によって真理を認識する瑜伽行唯識（ゆがぎょうゆいしき）や、仏教、道教、儒教などの世界があることを知るとともに、人ならではの文明を築いてきました。先人が残したそれらの世界の翻訳を、古からの言葉や科学の力を借りながら学ぶことは、混迷にある現代において、我々の生き方を考えるうえで有意義であるに違いありません。

一　個・相対・反応系の意味するもの

宇宙論的証明

『広辞苑』には「宇宙論的証明」という言葉が掲載されており、そこには「神の存在の証明の一。自然が存在する以上その作者がなければならぬという考えに基づき、自然界の因果関係をたどって第一原因たる神の存在を証明しようとするもの」とあります。

自然を作った存在としての神、という理解です。自然を作った存在を神とするかどうかは別としても、「自然界の因果関係をたどって」「自然が存在する以上その作者がなければならぬ」という捉え方に立つことには、大いなる意味があるでしょう。見方を変えると、「創造主の世界が視野に入る」ということでもあります。

そうすることで、そのような立場に立たない限り得られない視点を得ることができ、この有形宇宙はどのようにしてもたらされたのかというその根源に迫れる可能性を感じさせます。そして、もし自分が創造主の立場であったならばどのような宇宙を描くであろうかと考え、その世界の想像をあれやこれやと拡げることにもなり、自然の摂理の理解にも繋がろうというものです。

それまでは、既にある宇宙の内側からの立場でのみ捉えていた宇宙に対し、全体を見渡した外側からの創造主の立場で見てみるということです。それは、科学が自然の摂理の解明であることに対し、自然の摂理を生み出す立場での視点に立てるところに違いがあります。

そうではなく、「自然には作者などなく、自然は自然から自然に生まれた」とすると、「その自然はどのように生まれたのか」を問わねばならなくなります。そして「自ずから然りのもと全てがあり、人類の営みもそのようなもとでの一環である。それが自然である」では、理解はそこまでで、その先への想像は及ばないでしょう。それでは、人が存在する以上存在理由がある筈だ、という根源的な疑問の追求もできないことになります。

一般的に、大病を患うなど、死に直面したことのある人ほど生死に対する認識や人の存在意義などに目覚め、そのような体験の無い普通人とは違う世界を持ちますが、それは虚構なのではなく真実の一面です。幼児の視点も、家庭から、成長と共に学校、社会、国、世界とその視点は高められます。しかしいずれも、我々の視点は未だ地球から見た宇宙です。

視野を広めこの先の視点に至るには、想像によってより高見の位置を得るのが手段でしょう。想像がなければ創造は生まれません。私たちの日常は、想像による創造の繰り返しであるともいえるでしょう。なら、宇宙についても、創造をした存在が存在した筈と想像するのもあながち突飛とはいえないでしょう。そうでなければ、その先の世界には入れません。視点を高める基本は想像です。

イギリス人科学者J．E．ラヴロックは、かつてNASAの宇宙計画のコンサルタントとして、火星の生命探査計画に参画していました。その際、地球から見た火星の示す様々な反応を調べ、データをとり、それらを基に想像を廻らし、火星探査に向かう人工衛星に託す調査事項を選択し、その計画に寄与したといいます。が、それらは、地球にいながら火星にいるかのごとき想像視点をもってしてのことなのです。

私たちが何かを成そうとするとき、その始まりは目的をもって想像をすることからです。何のために、何を、どう作るか。これをどれほど繰り返したかが結果に反映するのです。創造の分野である美術、建築、音楽、文学などの出来栄えや評価に限らず、各種スポーツの結果も、如何に繰り返したかに負うところが大きいのです。

例えば、テレビでよく見る首相官邸。著名な建築関係者が集まっての「日本的とはどういうものか」との議論には、わびさびなどの話だけでなく、精緻な構成や精度の高さなどの話も出たといいます。これは設計が始まる前のプログラムの段階で、です。時間をかけた幅広い想像がされていることを思わせます。

また、建築構造家の話として、「東京オリンピックのときに代々木の体育館の設計に携わった際、具体的な形を話題にしたのはかなり後になってからで、まずは来る日も来る日もグループでのブレーンストーミングを繰り返しやった。おかげで、やおら形を対象にした構造の設計に入ったとき、問題になりそうなことはあらかじめ予測できていて、解決法の検討もできていたので、スムースに進めることができた。その意味で、北京オリンピックの〝鳥かご〟は、時間切れなのか検討不足を感じ、もっと理にかなったスマートな解決法を見出せた筈だ」という趣旨の記事を読んだことがあります。

考え得る限りの想像を繰り返して作り出すことがそのものの質に係わりますが、さらに、想像は不可能を可能にも導いてくれます。そしてこの想像には、想像を導いてくれるであろう〝感性〟とでもいうべき働きも伴うものと思われます。それが一体となって想像ができるような脳を人は得ているのでしょう。

とはいえ、「自然が存在する以上その作者がなければならぬ」のだから、その作者の立場に立って想像すればすぐさま創造主の視点に立てるかというと、それほど単純ではありません。

が、想像が無ければ創造は生まれないとすれば、創造をした存在が存在したであろうことまでは否定できないのではないでしょうか。なら、創造主の立場に立ったとき、どのようなことが考えられるか、想像できるところから想像してみたいと思います。

無形宇宙から有形宇宙へ

私たちのこの宇宙がどのようにして生まれたのか、というとき、「その始まりはビックバンである」という説明は一般的ではあります。が、ならば、そのビックバンはどのようにしてもたらされたのかと問うと、なかなか納得いく説明には至りません。

例えば、ビックバンがあったというならば、何のビックバンなのか。或は、ビックバンに至る事情があってそのビックバンが起こった筈であるから、そのビックバンに至らざるを得ない程の事情、例えば密度の高まりとは何なのか、その密度はどのようにして生まれたのか、等々です。宇宙論的証明ではありませんが、それが起こるには起こる理由があってのことである筈です。ビックバンがどのように起こったかの納得いく説明が得られればメデタシですが、そうでなければ、他の捉え方も探るべきではないでしょうか。

有形が有形から生まれるとするならば、その有形を生んだ有形はどのようにして生まれたのか、という疑問が際限なく続くことになります。そうではなく、現代の科学界でも「宇宙は無から生まれた」という見方が支持されてきており、この立場に立つことのほうが自然ではないでしょうか。では、どのようにして無から有が生まれたと想像することが得心に繋がるかです。

これまでに記したように、物事の始まりは心が動くこと「意識、想像」からスタートするのではないかと思われます。宇宙の始まりも創造主の心が動いて「意識すること、想像を始めること」からではないでしょうか。が、最初は何もありません。何も無いからどこまで遡っても始まりがない、というより、どこに遡れば良いかも解らないし、その遡ろうとしているその位置すら解らないところの、始まりもない「無始」でしょう。

そして、その「無」も「始まり」もないのですから、まずは「無」が生まれるところから始まらなければ、「無始」も始まりません。で、「無」すらもないという「存在しない無」が始まりとなると、想像できます。すると、このことにより「存在しない無」以外は「存在する無」となり、ここに「存在しない無」と「存在する無」の相対の無が生まれ、この二つの「無」が反応し合うと、「存在しない無」と「存在する無」以外の「無」はないのですから、「無の絶対」即ち「無」が生まれることになります。

因みに、反応とはないものを求める（安定を求める）動きのこと、といえるものと思います。ここでは、「存在しない無」は「存在する無」を求め、「存在する無」は「存在しない無」を求めることです。そのような反応が起こるのは、「存在しない無」にとって「存在する無」がないのはアンバランスであり、「存在する無」にとっても「存在しない無」がないのはアンバランスですから、互いにないものを求めてバランスを得ようとするからでしょう。「無の絶対」即ち「無」とは、完全バランス体であるといえるものと思います。

無は、何処までいっても無です。ということは、永遠、無限、極限を持つということです。純粋でもあり、絶対でもあり、概念的には「一つが全て、全てが一つ」でもあります。そしてこの状態が続くのが無ですが、創造主の心が動くことで動いただけの変化が起こり、その変化がアンバランスを招き、永遠、無限、極限ではなくなります。ということは乱れが起こり「無」ではなくなるのです。乱れが起こるのは創造主の心が動くからでして、この動きのスタートにより時が生まれるのではないでしょうか。そしてこの動きによって間（はざま）が生まれ、すると時間が生まれますが、時間が生まれるまでには相当な間があったと思われますが、それは瞬間だともいえるでしょう。それまで、時間はないのですから。

宇宙の歴史一三八億年というとき、何処から数えて一三八億年かといえば、ここからでしょうか。但し、一三八億年は人の設定した時間の尺度で測れば、です。永遠、無限、極限という状態のなかに、時間の存在はないのです。また、創造主の心が動くことでアンバランスが起こり、乱れを招き、バランスを求めての動きが生まれるということは、永遠、無限、極限ではなくなり、つまり「無」ではなくなり「有」への始まりである、ということでもあるでしょう。

この動きは次の動きに関与します。次の動きも次の動きに関与し、次々と積み重ねが起こります。と、やがて一つのまとまりをもった積み重ねが生まれ、次の段階に移るのです。この繰り返しが宇宙を在らしめたものであり、一三八億年の現在に至っているということでしょう。

創造主の心が動くとそれまで無限であったところに限定が生まれます。動きとは無限に対する限定です。或は特定でもあるでしょう。これによって無だったところに乱れが起こり、混乱が生まれます。それを解消すべく、つまりバランスさせようとする動きが生まれれば、それもまた乱れに輪をかけます。或は、更なる動きが生まれれば、さらに拍車をかけることになります。これを収めるのは秩序でしょう。秩序は枠の設定であり、限定であり、特定です。

ということは、動くことで生まれた限定に限定を加えて動きを制限することであり、これは法でもあるでしょう。そして、やがて動きに法則性が生まれると有形のその世界が一つのまとまりを示し、界が生れるものと思われます。菌界・植物界・動物界に限らず、個体・液体・気体も無機や有機や生態系もこのような結果のものでしょう。これらは有形宇宙にとっての変え難い真理・

原理となるのです。

　創造主の心の動きとは、情報の現われ、ともいえるでしょう。ということは、心の動きが情報として存在を存在させる、でもあるでしょう。ならば、このようにして生まれた有形界は、創造主の心という場であるともいえるように思います。また、その心の動きが存在を存在させることの繰返しとは、情報としてその界を満たしていることでもあり、その意味で、有形宇宙は巨大な情報体といえるものと思います。そして、全ての存在が各々の情報を出し合い受け止め合っているから反応が生まれ、次へも生まれるのだと思われますし、全ての存在は固有の振動を持つといわれるのも、そのことの裏付けではないでしょうか。

　そのようにして成長、継続していく有形宇宙として創造主はこの宇宙を創り出したのであって、劣化、消滅させるために造ったのでは無い筈です。優性遺伝子支配というのも、この宇宙を成立させる真理の一つであるに違いないでしょう。

　そしてもう一つの大事なことに、このような現象は、時間の矢が一方向ゆえ成立する、ということがあるでしょう。というのは、あるところまで進んだ反応が後戻りするようなことがあっては、混乱の極みとなり収拾がつかないからです。

　例えば、芽を出し葉を茂らせ花を咲かせようとしていた木がいつの間にか双葉に戻っていたら、この木とどのように向き合えばよいのか。或は、爆音を轟かせている滝の水が、あるとき突然上に戻り始めたら、どうでしょうか。これでは社会は成り立たないどころか、有形界自体が成り立たないことになります。なら、有形宇宙における時間とは、反応系が一方向に進むことによって界を成立させることができる仕組みのこと、と捉えることができるように思えます。これも有形界の真理・原理の一つであるといえるでしょう。

近年度々報道されている官民挙げての書類の改ざんや議事録の削除などは、以上のようなことに照らし合わせての問題であるわけです。つまりは、有形宇宙がそうであるように、私たちの社会も、時間の矢が一方向であり、成長、継続していけることを目指した法のもと成り立っているのです。書類の改ざんや議事録の削除などは、時間を遡ることに繋がりますし、循環のための法を無視したことに繋がります。それができるということは秩序が乱れ収拾が付かなくなるということです。従ってそれを犯すのは大罪です。ゆえに、国や地域だけでなく、企業でも学校でも家庭でも、あってはならないこととしているのです。

それを、省庁の公人が犯したとなると社会は大混乱です。現代社会とは、そのようなことが、起こるべくして起こっている状況である、ということです。これは、かなり末期的状態であるといわざるを得ません。あらゆる経験の積み重ねができるのも、生物が性をもって種の継続ができるのも、人が成長できるのも、時間の矢が一方向だからです。

自然の摂理としての反応系は、基本にある瞬間生命現象のもと、繰返し、積重ね、何かを得て次の段階に進むという向上があります。言い換えれば、優性遺伝子支配のもと複合的多層的に積み重なっているのが、この有形宇宙であるといえるでしょう。

と、ここでさらに考えを一歩進めると、そのようななかで、人の存在意義とはなんであろうか、という疑問が湧きます。人の特性は思考・想像することができること、創造することができることといえるでしょう。想像、創造ができるということは、それができる脳を持つことによりますが、実は、この脳の働きが創造ということだけではなく、人を多方面に誘導します。文化活動も社会を混乱させることも、脳の働きです。有形界は法の下に成立しますが、いわゆる私利私欲が横行すると社会は混乱し、立ちいかなくなります。昨日の狡賢さが今日は普通になり、明日は更にその上をいかなければ人の優位に立てないならば、社会は劣化の方向であり、やがては崩壊です。

そのような流れを強く感じる今日、このままではいずれ人類滅亡であろうと危惧してしまいます。それは自然の摂理、宇宙の真理に叶っていないからであり、心の再栽培をすることから始めなければ、少なくとも人類の明日は無いのではないかと思えてしまいます。

が、その再栽培も同じ脳を使うことによって可能であることが人の位置でしょう。人は自らを律していくことができる立場に居るものと思われ、どこまでできるかを試されているようでもあります。その両刃の剣である脳を使うことで人自身を、自然を、宇宙をよりよい方向に向けることができるのです。それが人の持つ心の働きであり、これを活用することが人に与えられたいわば使命なのではないでしょうか。創造主はそのような意味を込めて人を存在させたのではないかと思え、それが宇宙人としての人の役割であろうと思われるのです。心とは、一言でいうならば、思考する場であるといえるのではないでしょうか。

〈かたち〉の成り立ち

人が何かをしようとするのは、その何かをしようとする理由・目的があるからでしょう。ましてや、積極的に何かをしようというときには、それなりの理由があってのことです。例えば、建物を建てようという行為はかなりの目的があってのことでしょう。その目的のために建てるのですから、その目的はかなり吟味され考えられるだけの検討がなされる筈です。長期的展望のもとの立地、敷地、規模、家族、間取り、形体、予算……を、法規や構造、設備等と共に煮詰めます。

そして、仕事上の建物なら収支、社会の趨勢や将来計画、工事のタイミング…等々、目的と諸条件との整合性の摺合せなども重ね、思いを込めて工事に入ります。工事中も何度も現場に通い、工事の進捗によってみえてくる問題の検討・確認などに取り組みます。竣工すれば今度は、期待を満たそうと、使いこなそうとしますし、メンテナンスも必要になります。

このようななかで、形はどのようにして導かれ決定されていくのでしょうか。建築家の菊竹清訓はかつて『建築代謝論　か・かた・かたち』なるものを展開しました。それによれば、〈か〉〈かた〉〈かたち〉で円を構成し（例えば、〈か〉〈かた〉〈かたち〉を正三角形のそれぞれの頂点に配置し、その頂点を円で結ぶ。）、これらの間で循環をするといいます。〈か〉〈かた〉〈かたち〉の順で右回りに循環するのは〈かたち〉を形成するときで、循環であるから〈かたち〉は〈か〉に戻り、繰返すことになります。一方〈かたち〉を認識するプロセスは左回りで、現象である〈かたち〉から〈かた〉である法則性を理解しようとし、原理である〈か〉を思考しこれらが循環をする、というのがその主旨の一つです。また、〈か〉〈た〉〈ち〉を三つの同心円に配置し、中央に〈か〉を、その外の円に〈た〉を、一番外の円に〈ち〉を配置し、中心は拡大して波紋のように広がり〈かたち〉から新たな〈か〉が生れるのが、〈かたち〉の構造である、ともいいます。

　これらからは、〈かたち〉は〈か〉という原理の追求から始まり、〈かた〉という法則性を得て或は法則性を適用し、〈かたち〉に至る、という理解もできるでしょう。また、このような捉え方をした〈かたち〉は、〈か〉〈かた〉という原理、法則に支えられているということでしょう。〈かたち〉という具体的現象は、〈か〉〈かた〉という無形から生まれることになり、有形は、その有形を生み出すのに見合った無形と一体となって存在していると、いえるとも思います。

　設計は、〈か〉→〈かた〉→〈かたち〉→〈か〉→の繰返しの末、一つのまとまり或は周期ともいえる状態を得、また、逆回りでのそれぞれの確認をし、それらを繰り返して決定に辿り着くのです。が、そのような進め方は他の分野においても同じでしょう。〝周期の完成とともに位置を上げる（とは、その段階の空を得る）〟に通じるものです。

　従って、この空を得る繰返しをどこまでするかが完成度になります。アスリートも、練習、試合を繰り返しつつ技を磨き位置を上げていくのです。皆そのようにして自分の〈かた〉をつくっていくのであり、それが完成すると〈かたち〉ですが、すると次なる課題が生まれ再度取り組むことになります。そのようにして階層を重ねていくのです。

宇宙はそのようにして繰り返してきた階層性によって構成されている、というより、宇宙がそのように構成されているので、我々もそのようにしている、ということでしょう。相撲の世界には「三年後のための稽古」という言葉があるといいますが、日々の積み重ねがやがて成果に繋がるのであって、即結果ではありません。このとき、それが可能となるのは、時間の矢が一方向であるからです。或は逆に、一方向性を絶対とする法則があるから、そのような有形宇宙の成立が可能となり、その経過を時間と呼んでいる、ともいえるものと思います。

宇宙がそのように構成されており、私たちもそのような方法で〈かたち〉を作っているということは、大仰にみると、私たちは現代の宇宙をつくっている創造主であることにもなります。なら、これからの宇宙をどのようなものにすべきかということが、人にとっての課題となるのではないでしょうか。それには、自然に対する認識度を高め、その摂理の位置をより高めるべく理解を深めることが、何よりも必要なこととなるのでしょう。

例えば住宅を考えたとき、先程の立地、敷地、規模……等を自然の摂理と照らし合わせて捉えなければならないことになります。

住宅は植物と同じように一定箇所に固定されます。が植物は、太陽光を使って二酸化炭素と水から糖を作り、自ら生きるためのエネルギーを得て新陳代謝、成長を果たします。

では住宅は？　住宅には植物のような成長はないものの、環境や方位との関係は生まれます。農作物の育ちや味が良いのは、北西が高く南東が低い土地に於いてといわれますが、それは太陽光を最も良い条件で受けられ、排水が良く、風にも恵まれる、というようなことによります。植物にとってのそのような有利さは、人が寝起きする住宅に於いても同じです。但し、住宅の場合は敷地としては敵地ですが、間取りには方位との関係から生まれる家相が反映されるのです。

太陽は、植物に光合成をもたらすことからスタートして、大いなる生命を繁栄させてきました。そして、何万年、何億年の積み重ねによって地球内部に石炭や石油という形のエネルギーを蓄積してきました。「化石燃料が死んだ生物からできたことを示す証拠がもたらされたのは、一九三六年、ドイツの化学者アルフレート・トライプスが、石油には、植物の色素である葉緑素からしかできない分子が含まれることを示したことによる」（『微生物が地球をつくった』）とされているなど、様々な形で人の文明に関与しています。

このようなことは、太陽は物そのものを直接届けているのでは無く、その光の中にそれらを生み出せる能力を内包しているということでもありますし、植物や地球にその光を利用できる機能が備わっていたからでもあるでしょう。

反応系的には、太陽光は地球や植物の吸収に対してそのようなことが起こる反応を示したのであり、地球も植物もそれを受けて物質転換の反応をした、ということでしょう。繰返しになりますが、無形ともいえる太陽光は、やがてそのような有形を生み出すことに繋がる能力・情報、エネルギーを有しているといえますし、地球も植物も有形化の機能を有しているといえます。

ということは、〈か〉〈かた〉という原理、法則から〈かたち〉という具体的現象が生まれることに通じますし、有形は、その有形を生み出すのに見合った無形の能力・情報ゆえに存在していることにもなります。〈かたち〉をもたらすものは能力・情報であるといえるでしょう。で、そのような太陽光は地磁気と共に家相のような現象をもたらします。

一軒の住宅を一つの生命体になぞらえることもできますし、一部屋一部屋を細胞と見立てることもできます。細胞を一個としている細胞膜が二重であるのは、例えば内外での電位差をコントロールするためです。一重であれば電位が高い側から低い側に流れ易くなり、細胞内を目的達成の条件に合わせて保つことが難しくなります。

二重にして中間層を設けることによりそれを防ぎ、かつ、必要な情報は得られるように内外を結ぶ関所のようなところを設けて、出入をコントロールしているのです。

住宅の外壁が二重であるのも部屋の間仕切り壁が二重であるのも、同じ理由があります。そうすることによって熱や音の出入を（或は情報を）コントロールし、その一部に開口部を設けて人や物の出入口としているのです。壁内に断熱材や吸音材を入れるのは精度の問題であり、細胞の場合でも水などで満たされています。また、細胞内にはミトコンドリアや小胞体、核などがあり、それぞれの役割を果たしているように、住宅や各部屋にもそれぞれの機能があります。

その機能は、住まいを作ろうとの思いに至る過程から芽生え始めたものが、少しずつ具体化して生まれたものです。その機能には、そこを使う人にどのような気分を与えるか、というようなことも含まれます。それは、住まいや部屋を作る目的のあらわれです。どのような部屋になるかは、そこを使う人をどのような人にするかでもあるのです。

人は環境に左右されます。熱帯、温帯、寒帯によって生活も性格も変わります。が、温帯だからといって人が皆同じではありません。温帯の中の地域や年によって事情が変れば、その違いの影響を受けます。都市部であるか郊外であるかによっても変わりますし、家族の数によっても変わります。大家族と核家族では家も間取りも変わり、人は、それらによって作られる側面を持ちます。細胞も同じで、細胞を取り巻く環境によって変わります。が、影響力が大きいのは光や水がどのようであるかです。

光合成で見たように、太陽光を使ってエネルギーを生み出しますが、その際、水から得た水素も重要です。ならば、これらがどのような内容のものであるかは大切な要素となります。

核やミトコンドリアなどが連携して一個としての細胞を維持しているように、一個としての住宅も機能の違う各部屋の集合として成立しますし、各部屋も床・壁・天井の材料や形体、設備や家具などで変わります。〈かたち〉には、そこに至るすべての事情が含まれ、そのような意味をもち、またそのようにして導かれるのでしょう。

設計の際にいわれるコンセプトとは、そのようなことを含め、設計する建物がどうあるべきかを追及する拠り所のようなことです。人が建物をつくりますが、建物も人をつくるからです。

現在の私たちの生活を含めた、これまでの地球上の一切は太陽由来であるとすらいえるでしょう。太陽由来とは自然の摂理由来でもあります。そのような状況下で私たちは文明を築いてきたのですが、その拠りどころの一つに、東洋思想があります。次では、その東洋思想と日本文化の関係の、典型的な面だけでも見てみたいと思います。

東洋思想と日本文化

(1) 陰陽五行について

バランスを求める反応系の典型的な例として陰陽五行(易五行)を上げることができるでしょう。老子を教祖とする多神的で自然的な捉え方の道教では、宇宙の万物は陰陽二気が和合循環して生成消滅すると捉えました。「陰陽交わりて萬物を生ず、悉く皆佛性あり、……」ということです。一方、孔子を祖とし四書・五経を経典とする儒教では、特に人の生活において木・火・土・金・水の五つの元素の組成(相生、相剋等)によって全てが生れると説きます。この二つが紀元前の中国で結びつき、変遷しつつ陰陽五行説として体系化され、今日に至っているのです。

例えば〝えと〟(干支)は、甲乙丙丁…という十干と子丑寅卯…という十二支が組み合わさったものです。

これらが五行の木火土金水や陰陽から派生した八卦の乾兌離震巽坎艮坤、或は九星の一白・二黒・三碧・四緑・五黄・六白・七赤・八白・九紫などと一体となり循環するものとされます。そして、時間の流れや方位に割り当てられて左上図(⑩)のような解釈を得るに至るのです。

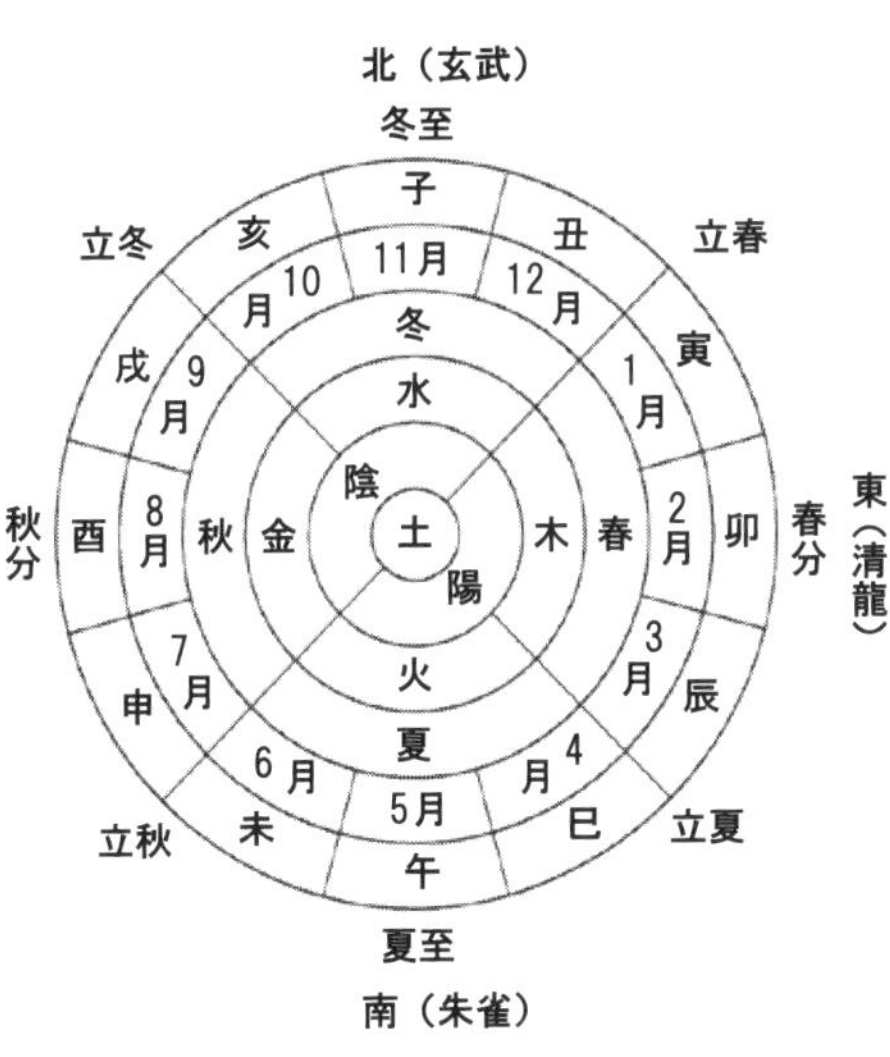

⑩陰陽五行等循環図（月は旧暦）

その過程の一部を記してみます。先ず、五行の木・火・土・金・水から十干が生れる過程は、木に対して陽としての兄である甲と陰としての弟である乙が分化し、火に対しては陽としての兄である丙と陰としての弟である丁が分化するという具合です。つまり、甲乙丙丁……です。

また、十二支との関係は、土を除いた木火金水の各々に三つずつを割り振り、例えば木（春）に一月寅・二月卯・三月辰を、火（夏）に四月巳・五月午・六月未をあてます。更に春から夏に変るときの辰の最後の十八日を土とし、同じく夏から秋に変るときの最後の未の十八日を土とするとして、季節の変わり目ごとに土用を介す、という循環です。また、ここに時間や方位を割り当て寅の刻（三時から五時）や卯の刻（五時から七時）、或は卯（東）辰（東南東）ともなります。

このようにして配当された各要素が周期性を持って循環する、というのが陰陽五行の説く宇宙の巡航です。道教や易五行では、天体の観測や自然・人事の移り変りのなかから普遍的なものを求め、不老長寿や生活に役立てようと、宇宙の循環をいろいろな形で表していますが、その一つに太一九宮（たいいつきゅうかん）（九星）図というものがあります。

（2）九星図・八卦配当図・家相について

太一は太一神で陰陽という二極が生れる前の状態であり、易では唯一絶対の存在として太極といい混沌でもあります。この太一（太極）を中央にいわゆる八卦の坎、艮、震、巽、離、坤、兌、乾という記号化された原理が八つの方位に配置され、これらの動きを持って自然界と人間界の千変万化を表そうとした易経の考えに基づく循環図を八卦配当図といいます。（⑪図）

易経はこの易五行の拠り所であり占いとしての書物であるほかに、道理・原則を追求する哲学の書でもあります。従って、この図にはそのような意味も込められております。因みに、それぞれの意味することを略記してみると、次のようになります。

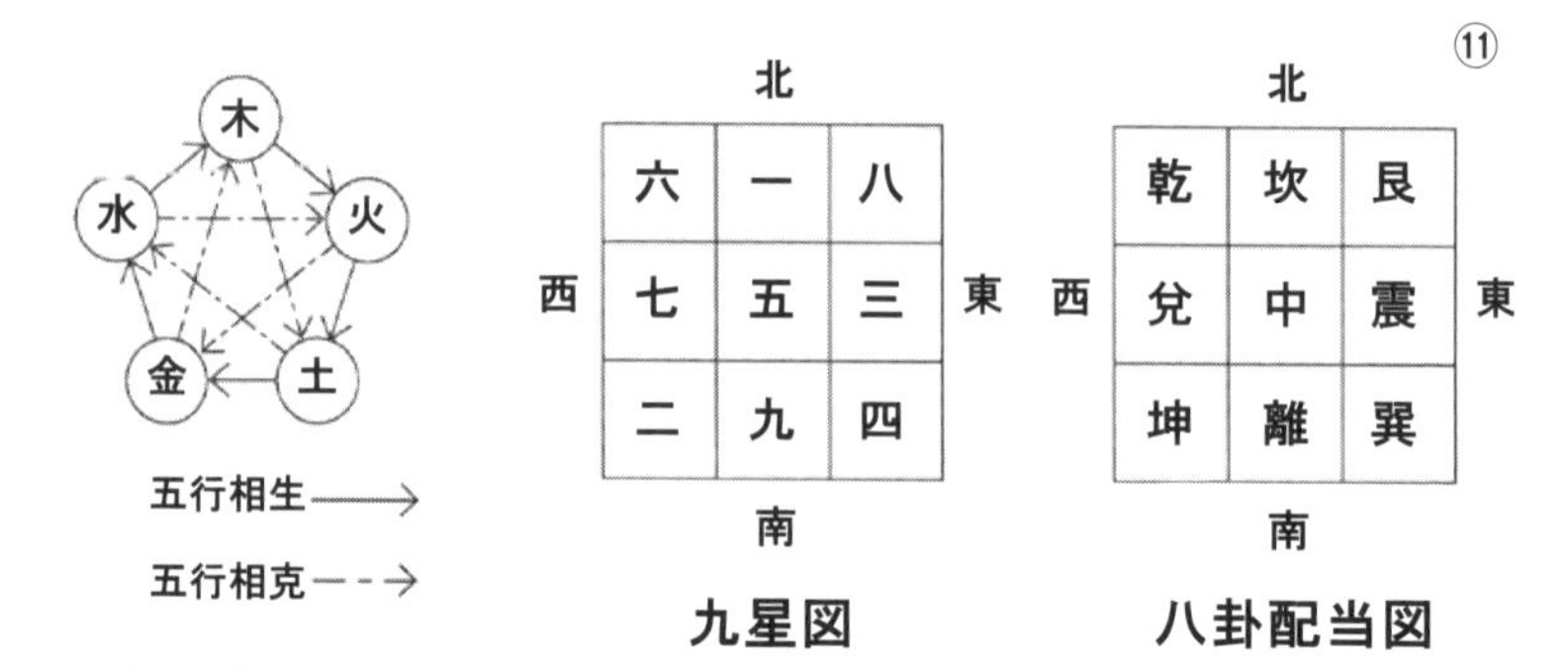

相生相剋図

九星図

八卦配当図

坎とは水、蒸発して降雨。北、太陽が沈み疲労休息の卦。多聞天が守護。

艮とは東北で暗黒が過ぎ再び新しく始めるとき。静止、山、背。弥勒菩薩が守護。

震とは東で陽気が発し万物が生れる。動くことを好み雷、振動。持国天が護る。

巽とは陽気の下に陰気が入る卦で、前進、風を象徴。東南、普賢菩薩が護る。

離とは南で太陽が最も高く無限の光明で万物が成長。火でもあり、増長天が守護。

坤とは陰の卦で大地のこと。柔順で万物を養育する徳を表わし、文殊菩薩が護る。南西。

兌とは凹の形で沢、穴であり、万物が喜ぶ実りの秋。広目天が守護。西。

乾とは陰気と陽気が凌ぎあうが、陽が最大で天に相当、剛健。観音菩薩が護る。北西。

また、これら九宮の代りに一から九までの数字を、九つの枡に五を中央にして縦横斜めともプラスすると十五となるように配置した図を九星図といいます。各々の数字に一白水星、二黒土星、三碧木星、四緑木星、五黄土星、六白金星、七赤金星、八白土星、九紫火星をあて、この図のなかをそれぞれが循環することにより生まれる周期性から、相生相克を含めた森羅万象のそれぞれの輪廻転生を読み取ろうという、易五行の理解法もあります。

九つの枡は方位を表わすものでもあり、その方位の持つ様々な意味を込めてそれぞれの特性を示しています。その循環は宇宙の循環であり自然の摂理であるとします。

更に、五行では木、火、土、金、水を宇宙を構成する五大原素として、木を東に、火を南に、土を中央に、金を西に、水を北に配置し、それぞれに相生、相克という循環があるとしていま す。例えば、木は火を生み、火は土を生み、土は金を生み…の如くでして、相克は、木は土を克し、火は金を克し…の如くです。

また、一から十までの数にも意味があります。例えば、一、二、三、四、五は生数といい混ざり気のない動かない数で宇宙の「体」の象徴であり、六、七、八、九、十は成数といい、生数に五という土気を加えてできた活動する数で宇宙の「用」を象徴するといいます。更に、一、三、五、七、九は陽、二、四、六、八、は陰でもあります。

このほかにも十干、十二支、六曜等々多くのことが方位や一年の循環に割り当てられ、それぞれが多層的複層的に関係しあっていくのが宇宙の循環であるとしているのです。

そして、これらを使って日々の変化や冠婚葬祭、方角や年回りなどを判断しているのであり、人はそのような自然の摂理の基にあるという理解なのです。

九つのそれぞれの枡に一白水星、二黒土星…を当て嵌めれば身の上の立場が読め、父、母、長男…或は玄関、居間、台所…等々を当て嵌めて判断すると、住まいの間取りに応用することができます。今日、方位吉凶図として利用しているのがこれなのです。いわゆる家相が示すことの多くのことは、以上のような自然の理解に基づく判断によるものです。

例えば、玄関は東から南東の位置が良いというのは、そこが〝動くことを好み入るが良く万物が生れる方位〟とされているからですし、同じような意味で、長男の部屋長女の部屋が良い位置とされているのです。他の部屋についても同様のことがいえ、家一軒の間取りをそのようにしてまとめることができます。但し、このときの方位は磁北をもってします。

建築物は植物と同じように、ある特定の場所に定着したものです。太陽光をどのように受けるか地磁気をどのように誘導するかで、植物の如き天地合一となります。これらを上手く取入れることが建物の健全度に係わり、そこを住み家とする人の健康度も変ることになるのです。

建物も天地合一の基に存在すべきものであるならば、その存在の仕方の範は、一定ヶ所に植えられた植物に学ぶべきでしょう。

自然の摂理を理解し、健全な住まいで過ごすことが人の健康と幸せにつながるのであり、そのためにあるのが本来の家相であるでしょう。単なる迷信という見做しは、そこに込められている自然の摂理の意味を理解できていないゆえの解釈でしょう。

(3) 九間(ここのま)について

日本の歴史上の建築には、柱の間隔が三間×三間の九坪・十八畳を一部屋としている空間構成のものが多数あります。この大きさの部屋をもって九間と称していますが、その九間の代表的な建築に滋賀県大津市の園城寺光浄院客殿があります。慶長六年(一六〇一)の建立と伝えられ、十八畳の正面右には幅一間の違い棚があり、その左の二間は押板的床の間です。

また、折れた左手には書院の付いた二畳の上段、違い棚の手前側には帳台構いが設えられています。この十八畳はその他の附属的なことも含め、当時の特徴的な造りである主殿造りの典型を示していることなどにより、国宝の建築に指定されています。

この他にも九間を有する建築物で優れたものは多く、各時代にわたって造られており日本建築の代表的な空間構成の手法の一つとされています。特に室町〜桃山期には、この九間をもつ建築の例が多く見られます。それでいてその九間が何故九間という大きさの部屋に拘ったのか、何故この時期に多いのか、何を拠り所としてつくられているのかは建築史上の謎とされてきました。が、その拠り所こそ、これまで記してきた九星図や八卦配当図に込められている意図に即してのことなのではないかと、思われるのです。

少々専門的になる面もありますが、以下簡単にその根拠を述べて、相対の反応系の現れの一例として提示し、そこに込めたであろう意図をくみ取ってみたいと思います。

◇古代の九間

九間という言葉には、「均質な九つの間により醸し出される空間」という意味があるかもしれません。が、古代においてはそれを一つの空間としてつくれる技術はありませんでした。柱を飛ばす（省く）ことができる間隔は二間までだったのです。その二間を南北方向にして、東西方向には一間ごとに建てて造る、という方法です。それが平安時代の寝殿造りです。

そして、この技術的な事情が、古代に、九間からなる一室としての建築が出現しなかった理由といえるでしょう。従って、古代における九間に該当する建築の例としては、平面的に九つの枡からなる建築を挙げても良いのではないかと思うのです。

そのような平面を持つ建築に塔があります。インドのストーパ（釈迦の遺骨を埋葬して供養した円墳）或はヴィマーナ（高塔型の仏殿）が中国に伝わり卒塔婆となり、日本にきて塔婆、塔となったといわれていますが、その塔の平面形は九間そのものです。

インドでは現実世界の諸々が大宇宙と対応しているとの捉えかたが文化の全てに適用されていて、建築は中宇宙、人体は小宇宙と見做されます。ヨーガでは、小宇宙たる人体を大宇宙との相似として捉えます。そして、小宇宙たる自己を観察することを通して大宇宙を知り、大宇宙の摂理を通して自己に目覚め、大宇宙たる梵（ぼん）と小宇宙たる我が一つになる梵我一如を目指し、即身成仏を得て真の安らぎを目指すものでもあります。

インドにおける寺院の敷地は本来正方形であるといいます。ここに中宇宙ともいえる寺院を造ろうというとき、以上のような小宇宙である人体をその敷地に写し描き、地鎮祭を行った後工事にかかる、ということが古来のインドの習わしであるといわれます。

このとき、縦横幾つかに分割された敷地の各区画には神々が配置されていて、各区画とそこに配置された神との間には新たな関係が生れるのです。それゆえ、そこに描かれた人体の各部も、そこに相当する建築の部分も、そこに配置された神と無関係ではいられなくなるのがインドである、といわれています。（『図説インド神秘事典』）。

これは一種の曼荼羅といえるでしょう。大宇宙、中宇宙、小宇宙は相似をもって一体です。大宇宙の循環が小宇宙の循環に誘導されます。それを信じるからこそ、そのような地鎮祭を行い、大宇宙の循環を導き入れようとするのでしょう。これらは建物の間取りに九星図や八卦配当図に習った形を取り入れることにより、そこに在る徳を得ようとすることとも相似といえるでしょう。

日本における最初の本格的な寺院は、焼失しましたが明日香村にあった飛鳥寺です。用明三年（五八八）、百済から仏舎利と共に僧、寺工、瓦工、画工等が渡来して工事が始まり、約二十年後に竣工した建物です。この寺の塔の中心に据えられている心柱は、地中深く埋められた礎石の上に納められていました。

心柱下にある礎石の位置は、時代が古いとかなり深く、例えば法隆寺の場合、床下一丈（約三メートル）程のところです。礎石の中央には穴があり、海獣葡萄鏡や珠玉、さらに瑠璃の壷の中には六粒の舎利等が納められていました。

が、塔の心礎は時代とともに浅くなり、やがて初層の心柱は開放してお堂のように使用し、柱はその天井裏から上にのみ設けている例も出てきます。因みに柱を地中深く埋めるのは「底つ巌根に宮柱太しき立て」の思想の表われと理解されています。この礎石には仏舎利を納めていましたが、これも必ずしも仏舎利とは限らなくなります。

このような鎮め物は現在でも行われることがありますが、インドでも古くから大黒柱の基礎の下に納められているといいます（『図説インド神秘事典』）。

方三間の九区画の中では四天柱で囲まれた中央部分が最も神聖な所で、ここに須弥壇を置き仏像を飾ります。従って南面して建てるべきものともいえます。そこからはインドにおけるのと同じように、相似を通して九区画のそれぞれの持つ特性が得られることを祈ったようにも感じられます。

さらに、宇宙軸たる須弥山（悟りの象徴である蓮華を象った宇宙模型）の象徴が塔とされていて、結跏趺座をデザインした護摩の火の形を立面に応用したのが本来の塔である、ともいいます（同書）。これも同じく相似による誘導を計るものであると思われるのです。特に五層の場合、易・五行における五の数字の持つ意味を考慮すると、五重塔の多いことが肯けようというものです。

五重塔こそは塔自体が後光を放つ程の存在に思えたのではないでしょうか。

塔の建築が多く見られるようになった当時の日本には、易・五行を理解する土壌はあったものと思われます。日本に儒教が伝えられたのは四百三十年ころです。聖徳太子はじめ天智天皇、天武天皇、持統天皇…ご熱心ですし、天皇という言葉自体が陰陽の統合体です。

さらに、天皇のご先祖たる伊勢神宮には陰陽思想の反映があります。律令制によって造られた学制による式部省のもとに大学を設けそこで儒教を教えてもいるのです。ごく普通に、〝当時の知識人の間では一般的常識〟の範囲ではなかったでしょうか。

平安時代末になると心柱は、密教でいうところの大日如来そのものの意味にもなっていきます。

多宝塔は平安初期に空海によって造られたものが最初といわれます。真言宗では塔は大日如来と見做されるようになり、心柱の回りに配置された仏とともに大日五仏を形成、これが発展して石山寺多宝塔（建久五年、一一九四年）のような多宝塔が造られます。下層は方三間で角柱であり、四天柱を立てますが心柱は上層のみです。本尊を安置し或は法華経を納入し、上層は円柱を円形に配します。この様式も易・五行と関係があるように思えます。下層は方三間（根来寺は五間）、上層は円形というのは、天円地方、つまり宇宙は円形で地球は四角という中国の宇宙の理解からきているのではないか、と思えるからです。

また、阿弥陀堂の形態には一間四面堂といわれる九間型のものがあります。中央の方一間のところに阿弥陀如来を安置して、その四周に庇を回らせるという造りかたです。これは九間です。中央の阿弥陀如来を安置している所は、塔では心柱があったところであり、易・五行では全体を司る中心です。この種の仏堂の例は中尊寺金色堂（一一二四年）他、全国に多数見られます。

◇中世の九間

日本建築史の上で九間の建築が最も華々しく造られたのは中世です。それは何といっても易・五行との関係であろうと思われます。その時流に乗って生み出された新たな芸能は能であり茶の湯であり…。それらが演じられる場としての能舞台や茶室も日本の文化を代表する地位を得ましたが、これら以外の建築でも日本的な特異性を持つ建物が数多く造られています。

平安時代の寝殿造は生活の多用化のもと、和歌や漢詩の会、接客、家の行事などのための部屋が設けられるようになります。そして、これに中門廊が付くのが鎌倉の寝殿形式です。

室町時代は中門廊から寝殿に入って対面・儀式をして、後、会所に移って宴会というのが流れでした。そして古代的儀式が不要になると寝殿の用途は次第に少なくなり、応仁の乱以後は母屋・庇構成の寝殿はかげをひそめ、これに変わる常御所と中門廊、公卿座で構成されます。

このような変化が桃山時代の建築書『匠明』の主殿の図そして園城寺光浄院客殿等に繋がっていくのです。会所とは、鎌倉から室町にかけて盛んになった和歌や連歌の会、茶寄合、花会、酒宴などの遊芸や仏事、対面などに利用された場所をいいます。常御所、小御所、泉殿などが当てられ、或は独立して建てられたものもありますが、義満の花の御所の会所には御幸を得ていますし、北山殿には能が可能な十五間の会所を造るなど、特別な意味を込めていると思われます。それらの多くは九間を当てられていることからも思いを馳せるところです。

会所には能阿弥や芸阿弥、相阿弥等を代表とする同朋衆により床飾り、棚飾り、書院飾り等の華やかな室礼をすることが特徴です。また、そのようなことが、そこで行われる芸能の在り方を位置付けてもいます。書院造も能も茶の湯も立花も、そのようなことを通して生みだされたものであり、多くのことが影響しあい一体となって確立していったものと思われます。

そして、このときのよりどころが、当時の思想的背景となっていた相生・相克を可能とする易・五行ではなかったでしょうか。

後醍醐天皇による鎌倉幕府の打倒は、間もなく南北朝の政権を導くことになり、それまで絶対的存在であった天皇が相対的存在として捉えられることを許すことになります。また新政権に対して公家は武士の台頭を喜ばず、武士は恩賞に不満を持ち、農民も楽にならない年貢に対し一揆を起こす等、各層ごとに不満と期待を寄せる状況になっていました。そのようなとき、易・五行に裏打ちされた下剋上は拠り所であったでしょう。下剋上といえば、下が上を倒すことだけを思いがちですが、本来は相剋・相生です。木は土を剋し、火は金を剋し、土は水を剋し…。かつまた、木は火を生み、火は土を生み、土は金を生み…と相生でもあるのです。

但し、全ては上を目指すのですから、結局は貴人本意の展開をすることが基本です。ゆえに王朝の古典を範に、雅の世界を繰り広げ、能に茶の湯に立花に、和歌を連歌を、書画や茶道具、唐物の鑑定から荘厳まで、阿弥師をたててより完成度の高い世界を目指したのでしょう。

そのような展開を繰り広げる場としての建築が拠り所にしたものも当然易・五行であり、それを図にして宇宙の循環を表わしているところの九星図・八卦配当図です。そして、これが九間として表われたのであろうと思われるのです。

九間は、それが内包する易による陰陽がもたらす徳と、五行による相生・相剋とによって宇宙の循環をそこに表したものといえるでしょう。会所や能舞台、茶の湯の場に留まらず、多くの世界に写しとられたのであり、それが一気に広まった理由であると考えられます。

園城寺光浄院客殿の他に、鹿苑寺金閣、浄土寺浄土堂、延暦寺西塔常行堂・法華堂、東大寺金堂（大仏殿）、法界寺阿弥陀堂、中尊寺金色堂、などをその例として挙げることができます。

いずれにしても、日本建築史上の謎とされている九間という空間は、これまで記してきたように易・五行の思想に基づく九星図・八卦配当図的概念を意識しての展開であろうと思われ、それほどの重みのあることと感ぜざるを得ないのです。

(4) 茶の湯と茶室

この九星図的なことを建築に取入れ、九間に対するこだわりのもと、日本文化の代表ともいえる位置を得たのが、千利休の編み出した茶道とそのための場である四畳半の茶室でしょう。四畳半の茶室の端緒は、足利義政が東山山荘内に設けた東求堂という持仏堂であるといわれています。鎌倉時代までの部屋の大きさは柱位置が一間間隔と決っていたことに対し、末頃になるとその中央に柱を設ける手法が生まれ、その方法をもって一間半(九尺)角のスペースつまり四畳半を得て、そこを茶点ての座敷としたらしい初見とされているのです。

この後百年ほどの間は四畳半が茶の湯座敷の中心となり、小間(こま)(四畳半以下の部屋)が主役の座を得るには至りません。小間の茶室が華々しい展開をするのは利休以後なのです。

さてこの間に茶室としての四畳半の在り方を武野紹鴎(たけのじょうおう)や千利休が追い求め一つの典型化に辿り着くのですが、そこにはどんな経緯があり思いが込められていたのでしょうか。少々長くなりますが記してみたいと思います。

千利休(宗易)の生まれは、当時賑わう堺の納屋衆です。十七歳で北向道陳に、後、二十歳年上の武野紹鴎に師事し、茶の湯を修めました。この他歌道や禅旨に興味をもち、さらに能にもかなりな傾倒をして、興行の見物の他楽屋を尋ねて能談義をし、観世流小鼓師宮王三郎に謡曲を習ってもいました。そして、三郎の長兄で能楽師である道三は利休に茶の湯を学んでいて、そこには家族的な付き合いも窺われます。

この間利休は、天正元年（一五七三）、信長が織田政権を樹立し入京すると今井宗久、津田宗久と共に茶の湯の宗匠として召し抱えられました。そして天正十年信長が本能寺に倒れると、秀吉に仕えます。利休作といわれる茶室待庵ができるのは同十一年頃で、やがて、「内々の儀は宗易、公儀の事は秀長存じ候」といわれるほどの立場になります。

◇『南方録』を中心に（ここでは久松真一校訂解題によります）

南坊宗啓が千利休から見聞きしたことを書き記した茶の湯の心得書として伝わるものに、『南方録』があります。内容への信憑性に欠けるともいわれている茶道書ですが、今日に伝わる茶道の指南書であり、多くのこととの拠り所的教本です。

その『南方録』に墨引なる一巻があり、書き出し部分で利休のカネワリのことに触れています。「……カネワリの数を定めることの根本が、何のカネに基づいてのことかを人は知らずゆえ困惑しているようだ。凡そ天地にはこれを順行させているカネがあり、四季に土用を加えて五つとし、四方に中央を加えてこれも五つとし……陰陽も木火土金水の五つに表われるなどに基づき、五つのカネを定規として、全てはこのカネの基に存在している。五は陽の数であり、形として表われているものは陽である。この五つのカネの間の六つを陰のカネとする。本式には陽の五つを用いて、六は常には用いない」

要は、天地の循環には法則があり、五つの側面（表に出たる陽としての要素）から成るというのです。その法則を畳に割り振ることにより、茶の湯の世界に小宇宙としての循環を再現しよう、という捉え方をしたのです。

具体的には、陽を、畳の中央ラインとその左右を三等分した二本のラインの五か所として指定します。次に、その陽で仕切られた中間を陰として指定するとこれが六か所になります。従って、この五陽六陰の計十一をカネとして割当て、一四八ページ図（⑫）のような設定をします。これを道具の置き合わせに使い、ここに天地の循環たる陰陽が生む徳を得ようとするのです。

そして、基本には、陰陽に基づいた大原則と、状況によって臨機応変に対応して良い小原則があり、「全てが陰、全てが陽であるようなことは嫌い、工夫すべし」ともしています。

更に、畳の目の幅に以上の五という数をあて、これを五分として全体に広げると、以下のようなことがいえます。

十一のカネがうまく収まる畳の幅は、全体が六十三本の畳目である三尺一寸五分となります。その左右一寸ずつをヘリとすれば、残りは五十九本の二尺九寸五分となります。

このとき、二尺九寸五分という数字には易・五行上の意味があるのです。二は地数であり陰の始りの数字であり生数に属する数字ですし、九は陽数であり陽の最高の数字であり成数に属する数字です。五は太極であり宇宙の中心です。つまりヘリの内々の二尺九寸五分は太極を中心として最高の陰陽のバランスを示していて、既に宇宙そのものを表わしているのであり、そこに天地を順行させているカネ割りが配置される、ということです。これは当然、茶道具の飾り棚、大台子の横幅が二尺九寸五分であることにも同じ思いを込めているということであり、それゆえ台子

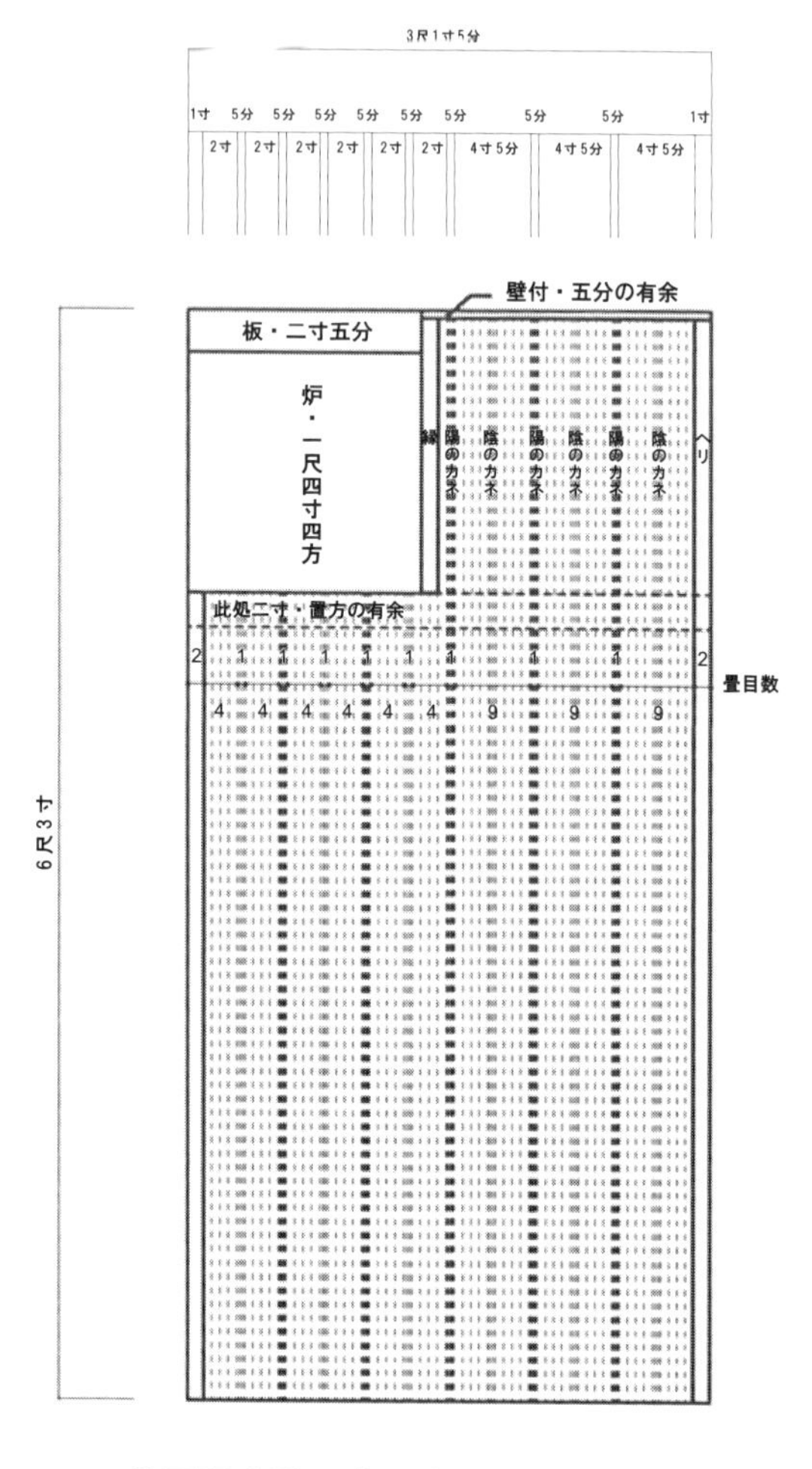

⑫五陽六陰の大カネ、大台子の本カネ
隅炉

手前は、真の手前として最も格式の高いものとされているということになります。

また、炉の寸法一尺四寸は図⑫の如く隅炉や向う切りで考えたとき納まりのよさを示すと同時に、易五行的に解釈したとき次のような理解ができます。

一尺四寸は九寸+五寸と捉えることができ、九は先に記したような意味を持ち数字の最高です。そして五も宇宙の中心を示す数字であり、共にこの上無い意味を持ちます。一方、炉壇は土ででいて中には灰(土)があり、畳との見切りには木の炉縁があります。また炭は熾ると火であり、その火を受け水を湯にする金属の釜と五徳があります。つまり五行が一つになった姿として位置しているのが炉であるのです。ゆえに数字も姿も最高の思いを込めた存在を示しているものといえるでしょう。

大台子の奥行きは右記の炉の数字と同じ一尺四寸です。大台子には巾の二尺九寸五分と同じように奥行きにも相当の意味が込められているのです。そして畳の長さ六尺三寸から、この一尺四寸に屏風の厚み一寸を加えた一尺五寸を差し引いた、残りの四尺八寸の長さの畳が台目畳として生れ、更なるパターンが展開されるのです。

◇易・五行的視点からの茶の湯

『南方録』の滅後の巻には、炉の寸法や道具類の置き合わせ方が決まる過程の記述もあります。そこに記されていることは、概ね次のようにいえるでしょう。

先ず、茶室は炉を切らない四畳半がしばらく続き、この間は棚や台子に道具を飾っていました。次に二畳の茶室が生まれここに炉が切られたとき、炉の大きさが一尺四寸に決ったのです。かつ、道具を畳の上に置き合せる棚無しの所作が生まれ、そして台目の茶室ができて、更に四畳半の茶室にも炉が切られるようになったということです。この後、京間四畳半には五陽六陰のカネが適用され、田舎間には一尺三寸の炉として七ツカネを用いることとなった、等々。

以上のような流れを考えたとき、その拠り所となったことを一言で表現すれば、時代的背景が導いた、といえるように思います。そのとき要因として最も強い影響力となったのは、易・五行的世相であったでしょう。

一般的に、茶道の隆盛は禅宗による影響力が強く、また政治も文化も禅宗の影響によってもたらされたとさえ思われがちです。それほどの活躍を禅僧は果したということはあるのでしょう。宗教に限ったことではないのですが、諸々は他派との間で影響しあいながら時代に合ったように解釈の範囲を広げ、変化してきているのが常でもあります。儒教が日本に伝わったのは仏教より早い四百三十年頃とされており、歴代天皇も取り入れているという事実は重いものです。

四畳半の茶室は、易・五行の影響の基に半間ずつの九区画の構成から成り、九星図・八卦配当図の示す小宇宙をここに象ったものと思われます。それは、吉野裕子博士が石灰壇や玄々斎を取り上げて指摘されている如く、疑いの無いことでしょう。(『淡交別冊・茶室』)

『細川三斎御伝受書』に、利休が「九間の真中に風炉を置き候……」という記述があります。単純にその年代を推定すれば一五八〇～九〇年の頃かと思われますが、利休が「九間の中央に風炉」を置くことに拘ったことが、やがて九間の相似形である四畳半の中央に炉を切ることに繋がったのであろうと思われます。要は九星図↓九間↓四畳半であり、この拘りがあったればこそ四畳半からなかなか抜けられなかったのです。

四畳半は九間の写し、縮小判なのであり、日本の建築が九間に拘った理由を四畳半も持ち続けているのです。四畳半が九間の相似形とみなされたとき、別室の茶点て所で点てて給仕していたお茶が、従である陰の立場から表向きの茶室へと昇格したのです。

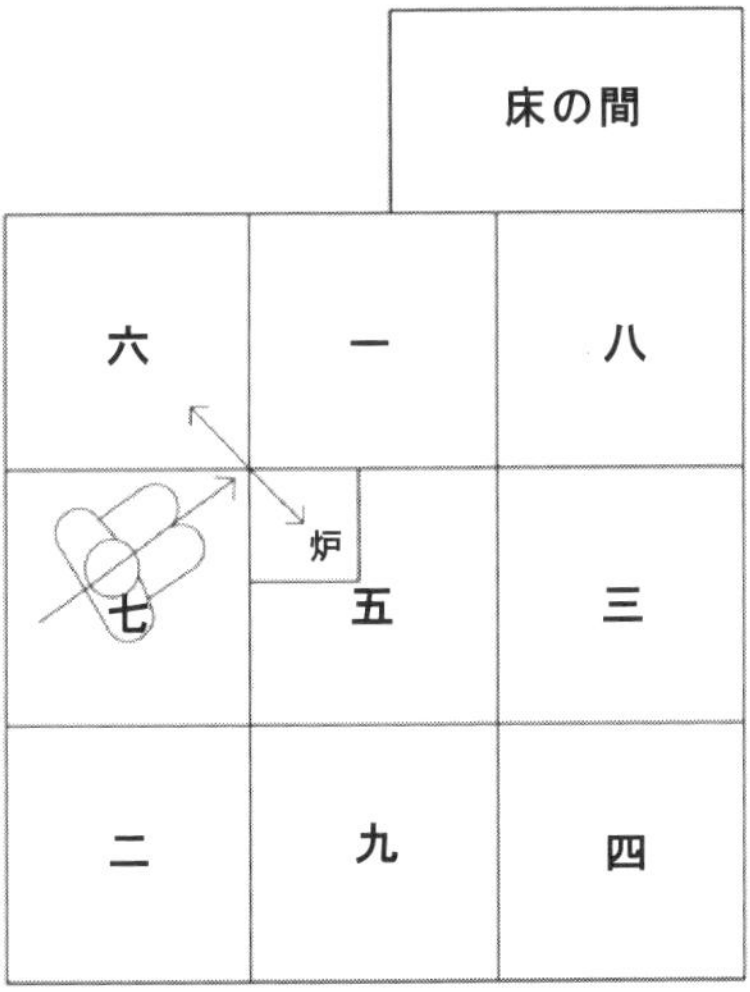

⑬四畳半茶室：九星配当図
五：炉畳　　六：道具畳

当初台子の上に割り当てられていたカネ割りが、畳の上に置き換えられ四畳半に及んだとき、茶室は易・五行の基の小宇宙化が一つの完成をみたのです。紹鴎と利休が取組んだのは、その意味のカネ割り化であったといえるでしょう。

その典型は、炉の位置と道具の位置及び亭主の位置でしょう（⑬図参照）。五行を備えた炉は最も重要な中央の位置を占めます。ここは太極であり宇宙の中心でもあり、九星図としては五の位置です。そして道具は北西の乾の位置、九星図の六の位置に置かれますが、乾は天に通じる天門とされています。また亭主の座る兌の位置は秋を象徴し収穫の悦びの位置です。炉の隅に向って亭主が座るということは、五と六にある湯やお茶を取り持ちながら行き来させつつ収穫のお茶を得るということなのです。

それに対して二畳の茶室は陰陽そのままの表現ゆえ、利休にとっては了解内の小間化であったでしょう。さらに、利休作と伝えられる待庵は、勝手も含めて捉えると炉は四畳半の中心の位置になります。建物としてはここまでで一まとまり、と捉えることもできるのならば、あながち強引な解釈とばかりはいえますまい。

利休の言葉として『南方録』の伝えるところによれば

「十年を過ぎず、茶の本道すたるべし、そのとき、世間にては却って茶の湯繁昌と思うべきなり。ことごとく俗世の遊び事になりてあさましき成り果て、今見るがごとし。悲しきかな」「末世に相応せず、程もなく正道断絶すべきこと口惜しきことなり。二畳敷もやがて二十畳敷の茶堂に成べし、易は三畳敷をしつらえたるさへ、道のさまたげかと後悔なる」

とあります。

茶室の本来は易・五行の表われであることを、まさに裏付けている言葉といえるのではないでしょうか。四畳半、二畳までは易五行の表現を読取れても、草庵化を辿ったとき、そのことによる華やかさや遊び心の方が人には入りやすいことを、利休は感じていたものと思われます。そし

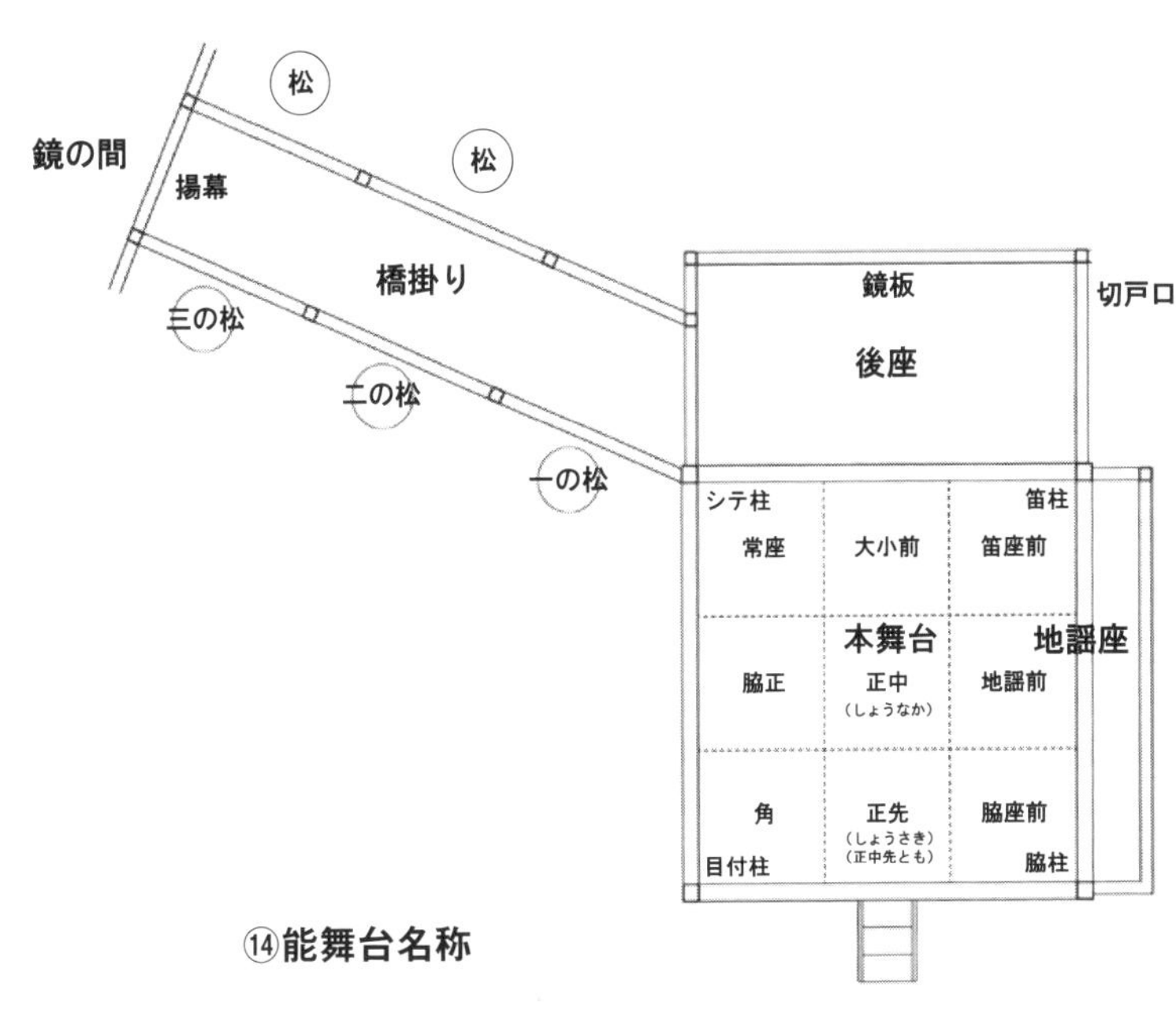

⑭能舞台名称

てこのようなことは、時代を越え場所を越え、人の社会全般にいえることでもあるでしょう。

次に取り上げる能の世界にも同じようなことがいえるでしょう。

（5）能と能舞台

能舞台は、三間×三間の本舞台に地謡座、後座（あとざ）が付き、橋掛りから鏡の間に到る、というのが定型です。

本舞台にはさらに九区画に分けた呼び名があり、四隅の柱にも図示（⑭）の如く呼び名があります。後座には背面に鏡板という板壁があり松の絵が描かれています。松は橋掛りにもあり客席側に三本、反対側に二本植えられています。橋掛りと鏡の間は五色の揚幕によって仕切られているほか、舞台と橋掛りの周りには白州として白い小石が敷かれています。

能の原型は奈良時代以前に大陸から輸入された散楽とされていて、散楽が猿楽・田楽に受継がれ、鎌倉時代には猿楽座が作られるようにもなります。南北朝時代になると近江猿楽や、後に金春座、宝生座、観世座になる大和猿楽が際立つ一方、足利尊氏の後援を受けた田楽能が質の高さを誇ってもいました。やがて、観阿弥が田楽本座の名人・一忠を範として芸を磨き、抜きんでた演技により足利義満の庇護を得て京に進出し、猿楽能の隆盛が始まります。が、その観阿弥は子・世阿弥が二十歳の頃没します。

一方、世阿弥の先輩格である近江猿楽の犬王は、舞歌幽玄の芸風により公家化を辿る義満に受け入れられて人気を得ており、義満から道阿弥という名前を貰うほどでした。世阿弥は犬王と競い合うなかで、物まね上手の大和猿楽からの脱却を計るべく方向転換し、貴族好みの幽玄美を夢幻能、物狂能という形式で作り出したのです。

能の最大の特徴は幽玄能にあるでしょう。シテ（この場合は前シテ）は、過去の人物として現世である前場に化身として登場し、経緯や状況を物語的に説明して過去を再現します。中入りの後、後場では（後シテとして）化身の本体として霊となって現われ、その物語を謡と舞によって表現し壽福増長を願う、というのが大まかな流れです。

この構成は茶の湯におけるお茶事の際、初座を終えると仲立ちがあって後座がある、という構成と同じであり、陰陽を強く意識した組立てといえるでしょう。

能では橋掛かりに登場する前から演技が始まっているといわれます。つまり揚幕の上がる前、鏡の間にいるときからということです。これは何を意味するのでしょうか。

鏡の間とは詰るところ〝あの世〟でしょう。ここでの〝あの世〟とは、神や霊のおわす世界のことです。〝この世〟に対して〝あの世〟であるから揚幕で区切り、〝遥かな別世界〟としたのでしょう。『伊勢　日本建築の原形』（丹下健三、川添登、渡辺義男）には、伊勢神宮正殿中央の床下に「心の御柱」が埋められており、その床上部分に御神体としての神鏡が祭られている旨の記述があります。鏡は古代において、神の存在そのものであったものと思われます。

道教では鏡を、宇宙の最高神のシンボルであり御神体であるとしています。人影を写し、太陽の光を反射して、自由な方向に向かわしめることができるという代物は、神秘の世界の存在であったでしょう。古代の鏡は現在の鏡のような反射はしないともいいますが、後座の壁を鏡板と称することも含めて、その種の意味が込められての名称であろうと思われます。

シテになぞらえて登場する霊のおわす世界の写しが、鏡の間なのです。ゆえに垂れている揚幕の前に立ち、「舞台に向かう」と思った瞬間から霊に成り切り、一つの世界の展開が始まるのです。この鏡の間は五色の揚幕によって橋掛りと分けられますが、五色の揚幕は易・五行に基づいたものであるということは、既に認められていることです。

橋掛りとは、霊が現われて現世において何かを伝えるための場である本舞台と、霊界をつなぐいわば〝つなぎの場〟ですが、それゆえある長さが必要なのであり、また、時間をかけて移動をすることによって霊界と現世のギャップを埋めるのです。次元転換のための時間であり空間であるという意味を含んだ、〝天架ける橋〟の如き〝間〟であり〝橋〟なのです。そのような橋掛りを静々と歩を進めて本舞台に向います。が、このとき体を上下させてはいけないのです。特にシテの動きはあくまでも霊の現われなのであって、空中を飛ぶが如きの動きが基本であるでしょう。

そして、本舞台の角にあるシテ柱の近くがシテの座である常座です。易・五行でいうところの「乾は天にして万物を主宰する天門の位置」です。ワキの場合は更に対角線上に進んで脇柱の側まで進みます。この脇座前がワキの座であり、「巽で風」で「出入りのあるところ」という位置を占めるのです。天門に対して「地門」ともいわれます。

シテとワキの会話がこの対角線上で行われることが多いのは、霊界の存在と現世界の存在とのやり取りであるからでしょう。謡方も囃子方もこの本舞台に入らないのはよくよくの神聖な場であり、一つ違った次元の世界が設定されているからに違いありません。その神聖中の神聖な場は中央の正中であり、シテによる重要な語りや舞の場となっています。よって、シテやワキが舞台をどのように動き、何処でどんな語りや舞をするかは、舞台を九区画に分けた各々の位置に込められた意味が反映されてのことです。

そうでなければ、三間×三間の本舞台と地謡座、後座をわざわざ分け、かつ屋根（天井）の扱いかたまで変える程の拘りをすることはなく、一つの大きな空間にまとめ、より自由度のある使い方のもとに、違った舞台も造られていて良い筈です。

また、以上のようなことから能舞台は、本舞台を中心に後座を北、見所を南として、天門である北西方向に橋掛り及び鏡の間が配置されるという向きを、基本とした筈です。

さて謡方は後座奥の切戸口から舞台に入り、見所から見て本舞台の右手に座ります。これは、霊界の存在と現世界の存在の中間にあって、つまりシテやワキの代弁者となって謡う立場を表わしているものでしょう。謡方は黒子の如く、観客には見えない約束事になっていることも、そのような役割を示しているといえるでしょう。地謡として地が付くのは、天に対しての地を意味しているのではないかと思われます。

これに対して囃子方は鏡の間から揚幕を片方に寄せて登場し、橋掛かりを通り本舞台の後ろに座ります。この座の後は松の絵のある鏡板であり、霊界側の存在であることを暗示しています。事実、笛の音にはまさに霊界の使いの如き響きがあり、辺り一体を突き抜けて一つの世界に引込んでしまうかのような力があります。

大鼓と小鼓は易そのものといえるでしょう。つまり陽（大）陰（小）の交わり合いです。その鼓の大きさの違いはそこから出る音色の違いとなり、かつ、序破急や打つ手に込める思いの違いが音として表われ、えもいわれぬ霊界の演出を果していると感じられます。

そしてまた、太鼓は霊が舞台にいるときに入ることが多いということも、囃子方が霊界側の存在であることを或は霊界を演出する存在で在ることを、示しているといえるでしょう。そこには人（謡）と楽器（囃子）の使い分けが意識されているものと思われます。

現在の能舞台はその廻りを白州としていますが、かつて中庭にあった時期には一面が白州であったといいます。そのような舞台を、正面に位置する建物の一室（見所）から見入るとき、そこは異質の別世界と写ったことでしょう。霊界と現世界の物語が繰り広げられるその舞台自体が、現実世界を離れたものであるといえます。

それゆえ橋掛りは角度をもって取付き、鏡の間たる霊界は遥か彼方なのだ、という形を採り、さらにその廻りに白州を撒き、一つの世界を現出しているのです。舞台に対する鏡の間の位置が真横であるとき、現実世界と一体となりかねず、さりとて真後ろの位置では時空の間を表現しきれないのです。斜め後方こそが絶妙の位置といえるでしょう。

そしてこの舞台全体を架空の世界である陰と捉えるならば、そのことを際立たせるために廻りを陽である白州で覆うことによって、ここに陰陽の和合した一つの世界を作り上げているともいえます。また、陰である月の光が陽である白州に反射され、舞台を始め辺り一面を包むことによってもたらされる陰陽の和合した世界に繰り広げられる能も、引込まれるに充分な魅力を備えているといえるでしょう。下からの光には、陰というエネルギーがあるのです。

改めて、能とは幾重にも仕組まれた陰陽によって作り上げられた世界であると感じます。

〝幽玄〟という世界は、陰陽を突き詰めていったからこそ導き出せたのではないでしょうか。

『風姿化伝』の第三に要旨次のようなことが書かれています。

「…一切は陰陽の調和である。昼の気は陽気であるので、陰である静かな能を企画すべきである。

それが陰陽が調和して、面白いと思える良い能ができる心得である。また夜は陰であるから、心が花めくような浮き浮きする陽の能を組合せると、陰陽が調和して、良い能となる。……また、昼といってもときによっては陰が漂っていることもあり、一緒に沈んでしまわないような能を心掛けるべきであろう……」

いずれにしても右記でいっていることは、利休の言葉として『南方録』の伝えることにかなり似ている内容でもあります。時間軸で捉えるならば『風姿花伝』に限らず『花鏡』にしても『却来花』にしても利休は読める立場におり、ましてや能の関係者との交流等を考えるとそれらの内容を承知していたのではないかと思えます。そうでなくても、茶の湯や能の拠り所が易・五行にあったとき、茶の湯を捉え能を捉える際、基本的な拠り所となる事共ではあります。

曲の題材に和歌集や物語が多く取り上げられるのは、貴族社会への憧れの実現に繋げてのことでしょう。よって武家では茶の湯と共に社交上必須の嗜みとされたのではないでしょうか。勿論下克上を意識してのことです。魂と魄が取り上げられるのは陽と陰を強く意識してのことであると思われますし、『古事記』等は易の影響を受けて書かれたものであり、陰陽の強いものです。「鉄輪」のように陰陽師・安倍清明が出てくる能もあります。

能楽は易・五行を拠りどころに、時代の反映として大成された芸能といえるでしょう。要は、儒教（易・五行）は時代を反映した思想として存在していたであろうと思われるということです。茶の湯や能の建築が、縦横三区画ずつの九区画の図形に相似形であるのはそれゆえでしょう。日本の文化の多くが、この時代に源流を求めることができるというその原点は、易・五行であるといえるのではないでしょうか。この九区画の図形の相似形は、九間として各時代に展開されています。それは儒教が仏教に先駆けて輸入され、時代を経て底辺を流れるごとく影響を与えてきたことの表われであると思われるのです。

周期性から空そして情報

有形宇宙は、一個が相対との間で反応し合い周期となり、それゆえの機能を果たす能力を持つと、それをここでは〝空〟と捉えています。その空はまた次の反応系に係わりますが、一個・空が階層的複合的に構成されている存在が、この有形宇宙であるといえるでしょう。ゆえに一個とはそのような空によって成立している存在なのですが、どれほどの階層性の空を有しているかはそれぞれです。

これまでにも記してきたことですが、人を一人の人間としてみれば、一個の人間としての空を有する人ということになり、また、地球も太陽系も銀河も一つの空であって、かつそれらを一つの個・一個と見ることもできます。そのような有形宇宙の姿を、空から成る一個の有する機能を能力と捉え、それを情報とみることもできるものと思います。

例えば、塩基性のアミノ基と酸性のカルボキシル基を含む分子どうしが反応しあい組合せ法が決ってくるとアミノ酸が生まれます。そして、窒素やイオウなどの原子と共にアミノ酸の数、種類、配列などが、反応の結果落ち着きどころを見つけるとタンパク質が成立し、多くのタンパク質が係わる順序を見つけ出すことにより細胞周期が成立し、細胞が生れます。このようなことは、多くの反応系を経て周期を得て、新たな一つの機能を果たしている個としての現象と見ることができるでしょう。と同時に次なる反応系の要素となり、再び周期の成立へと向うことになります。

そして、タンパク質が全ての生物の細胞核や原形質の主成分であり、生命現象の維持に係わっているのであるならば、そのタンパク質を生み出す反応系や周期性も、全ての生命にとって大切な現象であることになります。そのような反応系や周期性の完成した状態を空と捉えたとき、その空は、それぞれの階層ごとに或る機能の能力として反応しているのであり、それが情報であるのです。

「地球も太陽系も銀河も一つの空であって、……それが有形宇宙の姿である」とも合わせて、宇宙は情報でできていると捉えることもできるでしょう。このとき、情報とは無形であるゆえ、宇宙は無形によって支えられている、ともいえることになります。

情報は無形であるがゆえに形を超えて伝わります。その速さは瞬間速度であるといえるでしょう。例えば私たちが、相手から無言のうちに何かを感じ取るのは、その対象の持つ情報に反応するからであり、これは瞬間速度です。また、情報には質の違いもあるのでしょう。

宇宙のなかの或る銀河の星が爆発をして粉々になったとき、その星の位置した系内に飛び散った情報をすべて集めた総量は、爆発する前の星の有していた情報量に相当する筈です。違いが生じたとき、その違いの差の情報量は、他の系に移ったか他の系から入ったか、でしょう。つまるところ、この有形宇宙全体での情報量は常に一定なのであり、ビックバンがあったときのその瞬間の情報量が宇宙の広がりと共に薄まり、或は濃淡が生まれたということなのでしょう。それが時間の矢の方向であり、分化でもあるといえるでしょうし、天体の動きから、生命現象、社会現象まで、全ては情報の循環によって成り立っていると、捉えることができるものと思われます。

これらは品川嘉也が「すべての構造は、情報によって作られる」（『意識と脳』）といっていることや、松井孝典が「宇宙は情報で出来ている」（『宇宙から見る生命と文明』）と記していることと同じではないでしょうか。

そして、その情報が階層的複合的に満たされているところがこの有形宇宙の実像であるといえるとき、実は、有形そのものが反応し合っているのではなく、有形を司っている無形こそが反応の大元であり、それは、般若心経のいう「全ては空である」に通じることもあるでしょう。

二　継続性のある循環型社会とは

資源の枯渇・環境破壊というメッセージ

地球温暖化が叫ばれ、気温の上昇に伴い海水の温度も上がり、空も海も陸も想定外の現象が起る頻度が増していて、地球のあちこちで異常気象に見舞われています。そして、問題なのは環境だけではなく、資源の枯渇や人口、難民、格差社会、等々、社会システムの多くのところに取り返しのつかない程の問題が山積していることです。また、国と国の間でも、核や貿易戦争に対する危惧のほか、今や人類全体にとっての課題が引きも切らない状態です。

それを回避しようと、パリ協定やら京都議定書、気候変動に関する政府間パネル（ＩＰＣＣ）、或は、Ｇ７やＧ20、各種「持続可能な開発会議」の類が持たれるものの、関係国の事情による積極度に違いが生まれ、足並みが揃いません。それぞれの国が抱える問題が、深刻化、複雑化しているということでしょうし、指導者の独裁化の傾向も解決を難しくしているように思われます。

そこに於ける自国ファーストは、つまるところ己ファーストでもあります。一党独裁や一極集中と同じように反応性に欠けるから発展性も劣ることになり、結果、いずれ行き詰ることになるでしょう。「温暖化に科学的な根拠はない」などといって経済活動に力を注いでいる間に深刻度が増し、人の健康や生存が危機的状態に陥る恐れが眼前ですし、それによる自然災害の拡大傾向も看過できません。

その自然は、産業革命までは摂理の範囲で推移できていたとしても、それ以後となると、これまでに記してきた如く、多くの問題を抱えるに至りました。それは、人の活動が地球をシステムとして見たときの能力の範囲を超え、負荷を積み重ねる社会構造として文明を築き上げてきてしまったために、その限界を超えた部分が、資源の枯渇やら環境破壊やらという形で表れてきたということでしょう。それらはいわば地球からのメッセージであって、メッセージと取れないとすれば、それが現在の人の位置ということになるのでしょう。

そのようなことを招くことになった理由は、人が地球システム的な視点をもてないまま歩んできてしまったことにあります。無限の展開が可能であるという立場での生き方をひたすらに進めてしまったのです。

その結果、災害対策費や医療・福祉費が膨張する傾向にありますし、他国に対する不信感や防衛意識の高まりから、軍事費が増え続けてもいます。そのために、その他のことが疎かになり、社会の活力は削がれ、やがては人類滅亡という深刻な事態も危惧されます。

一九六二年に発表されたレイチェル＝カーソンの『沈黙の春』は、環境問題に衝撃を与え、人々を目覚めさせる書となりました。同書には「アルベルト・シュヴァイツァーに捧ぐ　シュヴァイツァーの言葉——未来を見る目を失い、現実に先んずるすべを忘れた人間。そのゆきつく先は、自然の破壊だ」とあります。

一九七二年には『成長の限界』の出版がありました。一九六〇年代に、「このままの勢いで経済が成長し、資源が消費され、環境が汚染されていった場合に、はたして地球がいつまで人間の棲息を保証しうるだろうかという問題意識」（同書監訳者はしがき）をもって一つの団体が誕生しました。ローマ・クラブです。この本は、そのローマ・クラブがＭＩＴ（マサチューセッツ工科大学）に作業を委託して研究成果をまとめたものです。

内容は、人口、資本、食糧、天然資源、そして汚染などをとりあげ、それらが複合的に関係し合うとして、様々な組み合わせのもとその後を予測したものです。結論的には、「先進国・後進国間での均衡を計った人口の抑制や、天然資源そして汚染への配慮などがなくこのままの状態を続けるならば、一〇〇年を目途に行き詰る」というものです。出版以来約四五年、賛否両論がありますが、現実に、資源の枯渇・環境破壊の危機が迫っている状況です。

二〇〇七年に出版されたアル・ゴアの『不都合な真実』にも世界中の深刻な問題が多数取り上げられています。北極の永久凍土の融解に限らず、温暖化による地球環境の変化は現実であり、まさに触れたくない真実です。

「人口爆発や技術革新に、自分たちの現在の行動が将来に与える結果を無視するという要因が組み合わさって、人間文明と地球との関係がまったく変わってしまった。私たちは地球の生態系と衝突しており、その結果、生態系の中でも最ももろい部分がボロボロと崩れつつある」

「私は、気候の危機に関する啓発イベントを数知れないほど組織し、開催し、議会の行動に対する人々の支持を築こうとした。」

「私は日本の京都で行われた国際交渉で、突破口を開く手助けをした。世界は京都で、温暖化汚染物質の抑制を目指す画期的な条約の草稿を作ったのである。しかし、帰国した私は、米国上院議会でその条約への支持を得るための困難な戦いに直面することになった」

アル・ゴアは二〇〇〇年、大統領選に出馬しましたが手痛い一撃を受け、ブッシュ大統領が、二酸化炭素排出量規制の公約を反故にしたと糾弾しています。

そして日本の気候も、毎年新たなページを作るほど異常です。春から気温の高い日が続き、梅雨が早めに開け、一日で一か月分の降雨があったかと思えば、夏は猛暑日の連続となり、それに合わせる如く多くの台風が発生したこともありました。あるいはまた、5月の北海道で全国一の気温39・5℃を記録し、夏には全国的に猛暑日の連続となることもありました。日本だけでなく世界中が異常気象に見舞われ、豪雨と渇水が入り乱れている状況です。

今、多くの人がこれらは地球的課題であることに気付きましたが、実体は取り返しが効かない程になりつつあります。それでも、そのような気付きが広がっている今、地球をシステムとして見る視点をもって、先延ばしすることなく、私たちの生き方を改めるべく取り組むべきでしょう。

この先少子高齢化の時代となり、人口という資源の減ることが確実な日本にとっては、これらの課題はより深刻な問題です。繊維、鉄鋼、自動車、半導体…と、世界をリードしてきてジャパンアズナンバーワンとまでいわれたのも、それを支えられる人がいてのことでした。社会を多方面から支え、活力ある場とするためには、それなりの人口、人材が必要です。数と質は必ずしも比例するものではないとはいえても、質でカバーできることにも限度があり、社会をあるレベルに保つためにはそれなりの数が必要です。人口が減っていく日本にできることには、自ずから限界が生まれて当然となります。

例えば、これまでに造ってきた庁舎や各種建物、或はインフラなどに対する維持管理が挙げられます。また、「百貨店も銀行も老人ホームも地方から消える」とか、「自治体の半数が消滅の危機に」(『未来の年表人口減少日本でこれから起きること』河合雅司著)というのはそれなのです。

そして、医療や健康意識が進んでやがては寿命が一〇〇歳になるといわれますが、ファーストフードやサプリメントで育った子が長生きできるとは考えにくいでしょう。食べ物の内容は健康に直結ですし、ストレスは増え、環境も悪化の方向です。にもかかわらず長寿傾向となるとすれば、そこには相当な医療費・介護福祉費等が注がれることになるでしょう。

更に、年々増える軍事費の問題も深刻です。世界中の国同士の不信感が増して不安に煽られると、前年を上回る軍事費の計上となり、これも増額の一途を辿る方向にあります。

少子高齢化が始まっている日本に対して、世界的な人口は一〇〇億に向って増えているといいますが、その傾向は必ずしも一律ではありません。中国では一人っ子政策の影響もあり、三〇年後には五億人が六〇歳以上になるといいますから、各種のアンバランスが起こるでしょう。

今やアメリカを凌ぐ勢いの中国には、資源・環境を含め、世界の牽引者としての期待も膨らみますが、一党独裁の進め方には大いなる不安を抱かざるを得ない状況です。現在進めているデジタルシルクロードや海底ケーブルに支えられている「一帯一路」も、負債を抱えるアジアやアフリカの国々を属国化しつつあるとの見方もされています。また、サイバー戦のような正体の特定がしにくい情報戦でも、世界を窺っている様を感じさせます。

一四億の民を束ねるのは至難の業でしょうが、それだけに民主化との向き合い方は難しく、そこに危うさを孕んでいる国の危うさは、今や中国一国の問題にとどまらない国になっているがゆえ深刻です。ならばアメリカに心強いリーダーになって欲しいところですが、経済優先・選挙優先のトランプには、資源の枯渇・環境破壊という問題への関心はなさそうです。

人口の増減は俄かに変化するものではなく、長い年月を要するゆえ、それだけに長期的な展望が欠かせません。この先の少子高齢化の日本では、必要なところに必要な予算をまわせない事態もあり得て、これまでのようなそれ行けドンドンの姿は描きにくいでしょう。

そして、人の思いの赴くまま無限の展開が可能であるという幻想のもと歩んできたことは、人口の急激な増加ももたらしました。それらは資源や環境の問題と裏腹です。

世界的には人口増による問題、国内的には人口減による問題、これらを課題の一つとして今後の歩みの方向を定めなければならない状況です。そのとき、人類社会を継続性あるものとして存在させるためには、自然を人の立場からだけで見るのではなく、地球的・宇宙的システムとしてみる見方が必須であると強く感じるのです。

地球システムの崩壊・構築

『宇宙からみる生命と文明』（二〇〇二年の一二月から翌年一月にかけて放映されたＮＨＫ人間講座のテキスト。講師・著者は東京大学大学院教授松井孝典。改訂版として『宇宙人としての生き方』岩波新書二〇〇三年）には、「地球をシステムとして見る」ことの重要性が記されています。例えば、

「地球は大気・海・大陸・生物圏・人間圏などの構成要素が個別にあるのではなくて、それらが関係性をもって相互作用を及ぼすシステムであるといい、その間の物質やエネルギーなどの出入りを通した一体性を有する」といいます。

そして、地球温暖化の原因物質である二酸化炭素が「大気と海と大陸地殻と海洋地殻とマントルという箱の間を回ってそれぞれの箱の中に再配分されている」という循環を紹介しています。

またその駆動力は「地球の外側にある太陽からの放射エネルギーと地球の内部にある熱」であると記していることも、システムであることの例であります。

同書には、そのような地球システムの中に生れた人間圏の発展段階を「フロー依存型」と「ストック依存型」という二つに分けることができる、という記述があります。ここで人間圏とは、地球をシステムと捉えたときの、システムの構成要素に係わる文明を作り上げた人間界、といった意味合いです。

「フロー依存型」とは「人間圏は地球システムからの物質・エネルギーの流入により維持されているが、この流れ（フロー）を利用するだけでなりたつ農耕牧畜型をさしています。対して「ストック依存型」とは「人間圏の中に駆動力を持つことによって、地球という星全体、つまり地球システムの物質やエネルギーの流れを変えることができるようになった」が、「このような駆動力を獲得した結果、我々は地球システムの他の構成要素に蓄積されているいろいろなもの（ストック）を取り出し、人間圏に、大量かつ非常に速く運んでくることができるように」なった段階のことをいっています。

そして、「ストック依存型段階の人間圏が存在するようになると、……地球の物質循環の流量や速度を大きく変えることになり……人間圏へのエネルギーや物質の流入量を我々が欲望に応じてコントロールでき、したがって人間圏が無限に拡大できるようになる」としつつ、その結果「地球の物質・エネルギーの流れに乱れが生じるように」なったと指摘しています。

更に、このようなストック依存型が進むとやがては人口増も抜き差しならなくなるとして、次のような紹介をしています。

「二〇世紀初めに十五億くらいだった人口が、今は六十億を超えています。地球の人口は一〇〇年で約四倍に増えたということです」「この先、地球の人口が五〇年で倍の割合で増えていくとすると、実は二千数百年で人間圏の重さが地球の重さになってしまう計算になります」

といいます。これは大変な問題です。そしてその問題は多面的です。同書によれば、

「人間圏の拡大率と地球の成長率の比較では、人間圏の一年が地球の一万年に相当するということですが、現在の地球上で物が移動する時間で比較すると、一年間に流入する物質の移動量は、地球システムの物の流れでは一〇万年分くらいの移動量に相当します」

「……我々が人間圏内部に駆動力を持ち人間圏をつくって生きる生き方をするということは、地球システムでのものの移動の速度を一〇万倍速めているということになるのです」

「今のままの発想で人間圏を運営すれば、人間圏という生き方を続けられるのは一〇〇年だろう

と私は思っています」

　人が地球上で活動をするということが、本来の地球システムのリズムを遥かに超えたところでの負荷をもたらし、成り立たないところまで来てしまっているということです。現実的に、地球が自重と同じ重さの積載をして自転し公転することはあり得ないゆえ、その遥か前に自滅して、太陽系を離れ何処ぞに飛んで行くのかも知れません。或は、地球自体の回転速度が変り、温度が変り、大気が変り、水が変りと、生命の存続条件が変ることによって生物が絶滅して、地球自体は少々の条件変化で留まり、そのまま太陽系の一惑星として飛び続けるのかも知れません。

　そして、そうした事態を回避するために同書では、これらの駆動力と関係性のバランスを図ることが地球システムの維持に繋がるとしています。つまり、地球温暖化は、人類の活動によりその地球システムに破綻を及ぼしている現象である、ということになるのでしょう。私たちがこの地球を住処として生きていくためには、空気が必要であり、水が必要であり、エネルギーが必要です。いずれも太陽と地球に全面的に支えられています。

　植物が、太陽エネルギーを化学エネルギーに転換するという光合成能を持ったことが、私たちが生存できている原点です。太陽・地球・大気・水はこの一点だけでも必要不可欠なものであり、しかも、それぞれの内容が植物の良し悪しに連動するならば、環境の健全化は人の健康、安全・安心に直結であることになります。

　経済優先は目前の生存を考えたとき欠かせないことであっても、健康を害し、寿命を縮めることは、より避けたいことでしょう。他人事ではなく、自分自身のことであり家族のこと、一人一人のことです。地球温暖化をもたらした要因として私たちの文明の在り方が大きく係わっているのです。太陽が地球に蓄えたエネルギーを取り出すことを基本として、私たちの生活をより良い方向へと進化させてきた積りでしたが、それは無限無尽蔵に対応できるものではなかったのですし、副作用を伴うものであったのです。

循環型としての在り方を求め、早急に対応しなければ再起不可能といえるところまで来ていることを、真剣に考えなければならない状況です。

宇宙の歩みは劣化の方向か

宇宙がビックバンから始まったとするそのときは、超高温・超高密度であったといわれています。その温度・密度は、宇宙の膨張とともに下がっていき、それに伴って、素粒子が生まれ、原子が生まれ、さらに……と生まれ現在の姿になったといいますが、これを分化と結合の結果と見ることができるでしょう。

宇宙の変遷は、このような分化と結合の繰返しのように思えます。超高温、超高密度から解放されるように素粒子、原子が生まれ、更に原子同士が結合し、新たな機能を持った原子や分子として存在します。それらがさらに結合して細胞を作り、或はアミノ酸を作りタンパク質を作り、更に臓器、そして人や他の動植物が生まれるのです。

菌界・植物界・動物界が構成されるのはこのような分化と結合の繰返しによってであるし、個体・液体・気体も無機や有機や、そして生物の系統樹や食物連鎖、生物進化の変遷史などの生態系もこのような結果のものといえるでしょう。土や金属も、岩石や地球が生まれるのも分化や結合を繰返してです。そのように無機の集合によって生まれた星も、やがて超新星爆発のもと宇宙空間に散っていき、それらがその場の星々や物質との反応系によって再構成されていくのです。太陽系、銀河、銀河団……そのようにして宇宙があるのであろうと思われます

「地球上で最古の自己複製する生物」といわれ、「地球上のすべての生命が共通祖先である微生物に発する」（共に『微生物が地球をつくった』ポール・G・フォーコウスキー）といわれる微生物から、その後の真核生物である動植物が生まれ生命圏が成立したというのも、分化と結合の結果であると捉えることができるでしょう。さらに、微生物にはその後の生命を生みだすだけのエネルギー・情報も含まれていたということでもあります。つまり、菌類や動植物は、微生物にそれらを生み出せるだけの情報が内包されていたから生まれることができた、という面がありますが、これらは、微生物から見れば劣化の方向への歩みともみえます。

この視点に立てば、系統樹においても元であるほどエネルギー的・情報的には高く、分化が進み後になるほど希薄になり、劣化・消滅の方向ともいえるでしょう。が、時間の矢の中には分化だけでなく結合の作用もあります。そして、結合のもと生まれたものが必ずしもそれ以前のものより劣るとばかりはいえないならば、そこにはどんな理由があるのでしょうか。

人の生死も結合と分化という面から見ることができるでしょう。卵子が受精（結合）すると分裂が開始します。人の形としての始まりはここからですが、これ以後の分裂の基礎となるエネルギー・情報は、母体からの供給もさることながら、細胞周期で見た如く、卵細胞の中にあるものと思われます。ということは、人としての基本は卵子が生まれる準備を開始したところからであるでしょうし、その準備に入るところからかもしれません。ひたすらに分裂を繰返しながらも、それぞれの臓器、部位が形成されていくのは分化と結合の結果です。細胞が分化（分裂）するのは分化する仕組・機能があるからであり、結合するのも結合する仕組・機能があるからです。細胞を一つの目的のもとに分裂・結合させる働きといえるでしょう。そして成長し、やがては分裂して土に帰って行きます。

そのようなことは、原子や分子、細胞……などにいえるだけでなく、我々の社会そのものも、究極はこのような反応系の結果のもののように思われるのです。家庭、学校、職場、地域、国も、そのような分化や結合の繰り返しのもとの存在でしょう。そして全ては、それぞれが一つの個であるのです。

これらのことから、その「元となる存在は、そこから生まれる存在を生み出すことのできる情報を有している」或は、「そのような情報でできている」と捉えることができるように思うのです。するると宇宙の変遷は、情報が分化したり結合したりの繰り返しである、ということもできますが、それには、そこに何らかの力が働いてのことであろうとも、思えてきます。

宇宙が生まれたのにはそれなりの思い、目的があってのことでしょう。特に系統樹の最後に位置する人に対しては、何らかの期待が込められているのではないかとも思えてしまうのです。

ではその期待は?ということは、人に課せられている役割とはですが、それは、第Ⅱ部で求めた人の位置・特性に係わることであるに違いなく、人ならばこそに答えがあるのであろうと思われます。が、それこそが人のみが持つ創造性を使ってのことではないでしょうか。この創造性こそが、人を感動させ、より良い方向への誘導をしてくれる大元であるに違いないでしょう。そしてそれは、やがては自然を変えることもできる可能性を持った力でもあります。

創造は想像によってもたらされます。時間の矢が一方向であるのに対して、想像は過去を振り返り将来を予測することができるゆえ、構築や解体の繰返しの結果を情報として使うことができます。そこにこそ人の役割があり、他に五万といる生物にはでき得ない精神性であるでしょう。そしてその源は、心であろうと思われますし、そのようなことの理解に繋がる世界として唯識を上げることができると思われます。

宇宙の歩みが分化だけであれば、今あげた如く、分化はエネルギー・情報的には劣化であり、ならばやがては消滅の方向となります。では、継続・向上の仕組があるならば何か。

分化に対して、結合の際働く力が位置的にそれ以前より増せば、結果としての存在はその位置を高められるゆえ、その繰返しは継続・向上への歩みとなる、と思われます。それができるのは創造性であり、創造性は想像から生まれ、想像とは心の働きなのです。

クォークから分離して原子が生まれるとき、クォークよりも原子の方が空間的に大きいのは、引き付けあう力・結合力の違いでしょう。結合力が弱くなるとは、情報が希薄になるということであり力量的には劣化です。その意味で宇宙の拡大は、部分でみたとき劣化の方向への現われであるといえるでしょう。そして劣化の方向とは、やがて消滅の方向です。

但し、宇宙全体でのエネルギーの総量、即ち情報量は、他の系（他の宇宙）との間での流出入がない限り一定でしょう。このとき、高い結合力によって支えられている存在があれば、その存在は進化・向上の位置を継続できます。つまりは、宇宙には斑（まだら）が生まれますが、位置を更に高めつつ継続できる存在としての役割を担うことのできる立場にいるのが人であるのでしょう。そして、それらの基本は心の問題であり、心の係わり方が向上への結合をもたらすものと思われるのです。

科学の限界

私たちの社会は、科学の発達とともにあります。電話やテレビなどの電気製品、自動車、電車、船、飛行機などの乗り物、そして道路、橋、建築などに限らず、化学や生物或は経済、サービスに至るあらゆる産業分野も、その科学技術によって支えられています。

それらは日々進化していて、人類の起源や微生物、細胞の追求から宇宙の始まりやその果てへの探求と、極小のミクロの世界から無限の拡がりの宇宙まで、思いの範囲での世界を手に入れる勢いです。そして、そのような人の行為は日常生活の様々な分野にも及び、社会の形態を大きく変えています。それらは私たちを便利な方向へ、長寿の方向へ導いてくれてはいるのですが、それがイコール幸せな方向でもあるかには、疑問が残ります。

この一〇〇年間での、それら科学の発達によって人の生活が便利になった度合いは、一〇〇年前には考えられない程であったでしょう。ではその間に、人の心もそれに見合ったほどの成長があったでしょうか。心が、科学の発達に同調して成長していくものならば、いがみ合いや騙し合いなどなく、もっと穏やかな人間関係が築かれていて良かったのではないかと思われます。ごく普通に、一〇〇年前の人の心の方が健全だったのではないかと思えてしまうのです。

人の心がどのようになれば、例えば、便利になったことに見合った変化があったといえるのでしょうか。便利になったことにより、幸せ度や心の豊かさが増したかのごとく思い勝ちですが、それらはむしろ、置き忘れをされたのではないでしょうか。特に、便利さを時代の進歩・発展という肯定的な受け入れ方をしていたことが、取り違えであったように思われます。これまでにも触れたように、人類社会が継続性のある方向への科学の発達、誘導であったかには疑問が残ります。インターネットやスマートフォンの普及が、私たちの生活を変えているのは事実ですが、幸福度の向上という方向に導いてくれている、というのとは少々違うのではないでしょうか。

私たちはよく「科学技術の発達」とか「現代の科学では」等と枕詞のように使って、科学こそが信頼のおける万能薬であるかの如く捉えています。また、そこから生まれる「価値観」に拠り所を置いたりもしがちですが、それらはどこまでその通りだろうかと思うこともあります。「科学的に」とはいいますが、「科学」は万能なのではなく、自然現象の理解など物質的な反応系に対しての解明の世界であって、その反応をもたらす無形（あるいは情報）の働きについての解明には係わっていっていないように思われます。科学技術の成果として社会にインパクトを与えていることの多くは、いわゆる便利さをもたらしてくれていますが、それと引き換えに失っているであろう心の位置を維持し、或は補ってくれてはいません。便利さはその便利さの分、人の心を荒廃させてしまっているのではないかとすら危惧されるのです。

この先、ＡＩの活用による様々な分野での開発に伴い、人にとって代わる製品の増加が見込まれます。が、それに比例してとまではいえないまでも、右に述べたことと同じ理由で、人側の劣化が懸念されます。例えば、カーナビの便利さのお蔭で人の頭から地理感が消えていったことを思えば、車の自動運転が普及したとき、人はどのようになっているのでしょうか。現実的な事故率や保険の適用などの問題よりも、人の心の劣化の問題は深刻となるでしょう。

前にも触れたことですが、相対の反応が成立するためには、相手がいかなる存在であるかを感じ取る機能が己に備わっていなければなりませんし、己がどんな存在であるかを表現する機能もなければ、相手は己を判断してくれません。相手が発信しているとは、己にもそのような発信機能があるということでしょう。

相対は互いに、情報の発信と受信（翻訳）をしあっているということであり、有形の一個が反応し合うということは、一個にはそのような属性が内包されている筈と思うのです。

よって相対がいかに発信しても、それをキャッチできなければ反応は成立しないゆえ、どこまで成立するかは受け手側の位置である、というのは翻訳力の問題であるのでしょう。繰り返す程、より深くより広くなります。例えば、整体師が体を触っただけでその部分の状態を知り全体との関係を描けるのは、整体師に感じ取る感覚があり、患者側に状況を発信している機能があるからです。が、どこまで感じ取れるかは整体師の技量であり、どれほどのキャリアを積んできたかと、それをどれほどの感受性にしたかによります。植物を見て、その花の色の鮮やかさや葉肉の付き具合から、バランスよく育っているか足りない成分があるかを感じ取ることができるのは、それだけの感受性を有しているからと、過不足を表す機能があるからです。

動物写真家の岩合光昭が「動物の写真は何かを感じたときがシャッターチャンス」といっているのは、それがその動物が特別に出した表情であり、それを感じた一枚が、それを写し取った写真となる、ということでしょう。そしてその一枚が、動物と人が交感し合った瞬間の記録の一つとなるからでしょう。

全ての存在は己の情報を発信していますが、それを受け止められるのは、その情報を翻訳できる位置に応じてのことです。これも「入射した光のうち、物質に吸収された光だけが反応に係わる」という光化学の第一法則のいうごとくであり、相対の発する無限の情報のうち吸収された光が、感じ取った情報です。それがシャッターチャンスであり、感じ取った情報が受け手の位置です。

この光化学の第一法則が成り立つのは、「この宇宙に存在するすべての物質は、それが存在している温度に応じて、波長の違う電磁波を放射します」（『植物は何を見ているか』古谷雅樹）という機能があるからでしょう。つまり、電磁波が情報伝達因子となり、相互間の情報のやり取りを担っている、ということであろうと思われます。

であるならば、そのような機能を心の働きといえるのではないでしょうか。究極は、心が発した情報を吸収した心だけが反応をおこす、であろうと思われるのです。

松井孝典は『宇宙からみる生命と文明』で次のようなことをいっています。

「近代自然科学の基本的な考え方は、二元論と要素還元主義の二つに基づいています。」が、「……二元論と要素還元主義の二つだけですべてがわかる、という保証がなくなってしまったのが、現代という時代の特徴でもあるのです」「生命の起源と進化の解明は、二元論と要素還元主義を超えて、あらゆる知の体系を総合化しない限り解明できません」

また、数学者の岡潔は、「自然科学でわかるのは、自然の物質現象の、ごく極めて浅いところだけです。生命現象はぜんぜんわからない」といっています。（『葦牙よ萌えあがれ』）

科学は幸せをもたらす万能薬ではないというのであれば、そこで解明された現象以外のところに未知なる何かがあるのではないか、或いは、現象の反応系を司っている何かがあるのではないか、との疑問が湧きます。それが心という存在ではないでしょうか。

「データ教」

前出のユヴァル・ノア・ハラリは、著書『ホモ・デウス』のなかで次のようなことをいっています。

人類は、何千年にもわたって取組んできた「飢饉と疫病と戦争を」、この数十年で「首尾良く抑え込んできた。もちろんこの三つの問題は、すっかり解決されたわけではないものの、理解も制御も不可能な自然の脅威ではなくなり、対処可能な課題に変った」


そして、「人類が新たに取り組むべきこと」として、次のようなことを挙げています。

「……前例のない水準の繁栄と健康と平和を確保した人類は、過去の記録や現在の価値観を考えると、次に不死と幸福と神性を標的とする可能性が高い。……今度は人間を神にアップグレードし、ホモ・サピエンスをホモ・デウス（神）に変えることを目指すだろう」

「……人間は老化と悲惨な状態を克服するためにはまず、自らの生化学的な基盤を神のように制御できるようになる必要があるからでもある」

「……あらゆる意味と権威の源泉として、欲望と経験に何が取って代わりうるのか？……その候補とは、情報だ。最も興味深い新興宗教はデータ至上主義で、この宗教は神も人間も崇めることはなく、データを崇拝する……データ至上主義は、……科学のあらゆる学問領域を統一する、単一の包括的な理論だ」

「データ至上主義者なら、その出力とは、『すべてのモノのインターネット』と呼ばれる、新しい、さらに効率的なデータ処理システムの創造だと言うだろう。この任務が達成されたなら、ホモ・

サピエンスは消滅する。」「『すべてのモノのインターネット』はやがては地球という惑星から銀河系全体へ、そして宇宙全体にさえ拡がる。この宇宙データ処理システムは神のようなものになるだろう。至る所に存在し、あらゆるものを制御し、人類はそれと一体化する定めにある」「『すべてのモノのインターネット』がうまく軌道に乗った暁には、人間はその構築者からチップへ、さらにはデータへと落ちぶれ、ついには急流に呑まれた土塊(つちくれ)のように、データの奔流に溶けて消えかねない」

ここにある「すべてのモノのインターネット」の世界とは、機能性、効率性、利便性、或はテクノロジーなどを優先することによりもたらされる世界であろうと思われます。そうなるのは、そうする事での有利さを価値観として据えることによるのでしょう。

例えば、あることを単位時間に繰り返すことのできる回数ということでは、人は機械に遠く及びません。また、記憶容量ということでも太刀打ちできません。いわゆる「機械的」というような、量としての精度を含めた情報の処理能力の世界は、機械の独壇場です。これが経済優先と結びつくと、ほぼ鬼に金棒の状態となります。それによって余暇を得て、人の生活向上を図ることができるとなると、その方向への勢いは増していくでしょう。

が、勢いを増した先ではその場も追われ、人は単なるデータの一部とすらなる、ということです。それは、「知識や知恵にすることなど望むべくもない」のですし「人の存在意義は？」という問いもなく、「すべてのモノのインターネット」が受け継ぐのであろうということは、人としての係わりは希薄になるのですから、その継続の先は人自身の劣化・消滅でしょう。

そのようなことが自然の摂理に組み込まれるかは解りませんが、人の立場からは人が存在してこその自然であれば、そのような事態は回避したいところです。それには、今あげた有利さの価値観を「知能や意識」と共に問うことが必要となるでしょう。そのためには、心の在り方がポイントになるのであろうと思われます。

また、「人が神を目指す」というときの「神」の意味することも、一様ではないように思われます。「苦しいときの神頼み」も「神ってる」も神がかり的な現象への期待であり、全能の神の力つまりは神通力に託しての好転や出来事に対しての言葉でしょう。が、このときの神は、本書のいう有形宇宙の創造主的なことを思っての神であろうと思われます。

その神は、例えば「全能の神はやがて地球温暖化をも糺してくれる」という神とは違います。そのような意味の全能の神を盲信することは、人としての勝手放題をも許すことであり、それが通るならば現実社会はいずれ行き詰り破滅です。全知全能の神とは、そのように人にとって都合の良い神ではなく、自然の摂理をもたらすことで有形宇宙を司っている存在のことといえます。

そしてそのような様が自然の摂理であり、それに従うことが、人としての存在と継続、向上に繋がるのだと思われます。

ということは、神を「反応系のもと空をつくり、その空が更なる空をつくり、階層構造のもとに有形宇宙が成り立っていて、その全体をコントロールしている存在」としたとき、人が「試行錯誤を重ね新たなモノをつくり、それらを階層的に組み合わせ、更なるモノを向上の方向でつくる」という構図が生まれるならば、人はその界における神的存在であるといえるのでしょう。

ハラリのいう「人は自らを神にアップグレードしようとしている」という神が、以上のような神であるならば、それは宇宙の摂理にセットされている神であって、創造主は人をそのような期待のもと存在させているということであるように思われます。

それには、人が何処まで自然の摂理に係われるかであり、そのとき拠り所となる心の在り方が重要になります。心はデータ・情報の源といえますから、データ教とも成り得るでしょう。

次の最後の章では、その心の多様性を見てみたいと思います。

三　人ならばこそ…全ての源・心

情報を生み出す想像、想像・創造を生みだす心

これまでにも記してきたように、物の始まりは「想像」からスタートするのでしょう。創造主が想像することによって、それまでの永遠、無限、極限であった無の世界に変化が生まれアンバランスをもたらし、限定を招き、情報を生んだのであれば、想像が情報を生みだすということでもあり、この想像はやがて創造を生みだす、ということにもなります。つまりは、創造主の心か

ら想像が生まれ宇宙が生まれていくのであれば、この宇宙は創造主の心で被われているということもできるでしょうし、情報とは創造主の心の表れである、ともいえるでしょう。

そして更に、このような過程で生まれる情報とは、そのときの情報を生みだす存在の心の働きによってもたらされるものでもありますから、そのような情報をもたらす個々の存在にも同じような心があることになります。このときのその心とは、私たちの心のことでもあるでしょう。

この心と創造主の心は、それぞれがそこから情報を生み出しあうことからも相似の立場にあるといえ、ゆえに通い合うことができることにもなります。

とはいえ、全てが通い合うというのではなく、「入射した光のうち、物質に吸収された光だけが反応に関わる」というものでしょう。この場合の光とは、電磁波であり情報です。つまり、創造主の心の働きが電磁波として伝わり、情報としてもたらされるということになるでしょう。

そして、その情報をキャッチできるのは、吸収することができた物質の吸収できた範囲においてであり、それが反応系であるといえるものと思えます。

創造主からの情報は宇宙空間に満たされており、それが、Ⅲ―一「周期性から空そして情報」で記したように、「宇宙は情報で満たされている」であり、仏教でいう「全てはここにある」であるでしょう。また、ヨーガでいう「すべてはオーム（音）である」とか、ユングの共時性的な世界の「集合的無意識は歴史的無意識でもある」とか、「無意識はまわりの世界と情報を受発信している」ということの説明でもあって、特別な超常現象ではないと思われるのです。超常現象と思えてしまうのは、サイババ的なことをいきなり認めようとするときですが、その根拠に理解が及ぶと、超常現象ではなくなります。

ユングのいう共時性や集団的無意識とは、私たちの心が創造主の心を介して互いに共鳴し合うこと、といえるようにも思えます。分子生物学者の村上和雄が「サムシング・グレートの存在を考えざるを得ない」という主旨のことをいっているのも、これであろうと思うのです。

心とは情報の源です。この空、つまり情報が積重なり階層的に構成されているのが有形宇宙でしょう。つまり、宇宙は情報でできていると捉えることができます。ならばその情報を生み出す心の在り方が全てに係わるといえるのではないでしょうか。

その心が劣化し歪んだら向上性は生まれず、有形界は消滅の方向となります。虚構とは真理を見極めることのできない混乱の状態に他なりません。現代という時代は、心の在り方が人類社会の存続を左右するところまできてしまっている状態といえるでしょう。

宇宙の創造主は、私たちを創造主の心と相似、という位置付で存在させているのであろうと思われるということは、私たちは創造主の心に共鳴することによって、心の劣化を正すことができる、ということであろうと思われるのです。そして、創造主の心の働きが自然の摂理として現われていると理解できることから、自然の摂理に学ぶことが私たちの心の位置の確認となり、向上型循環という生き方ができることにもなるのではないでしょうか。

情報は、心の働きによってもたらされます。ならば、閉塞感に覆われ行き場を失ったかに感じる今、この心の再栽培によって新たな文明を構築するべく道を歩むことが、残された方法ではないでしょうか。心とは、思考する場ともいえます。その場を使って人は思考を重ねることができます。想像し創造し、その繰返しのもと、格上げした世界を次々と継続・展開させていくことが、宇宙人としての人の役目ではないでしょうか。それが創造主と繋がりをもった心の世界を共有している人の立場であろうと思われるのです。

「入射した光のうち、物質に吸収された光だけが反応に係わる」とは、どこまで吸収できるかの問題であり、それを感性と捉えることもできるでしょう。吸収の度合いが反応の度合いに係わるということであるのは、それがそれぞれの位置であるということにもなります。

己の位置を上げない限り見えてくる世界も上がらない、ということになるのです。己の位置を上げるとは、感性を磨くことであり心の問題でもあります。

これまでに記してきたように、現代社会は虚構に包み込まれようとしています。虚構は循環を阻害します。この世界を継続性あるものとするためには向上型循環でなければなりませんが、虚構はむしろ逆方向への回転です。その一番の問題を、「人心の乱れゆえ」と見ることができるでしょう。ならば人は、その心の劣化とどのように向き合えば良いのでしょうか。向上型循環とはどのような世界であるかと併せて、次に見てみることにしたいと思います。

向上型循環とコロナウイルス

有形宇宙は、積み重ねを繰り返しながら成長していくという仕組みであり、向上しつつ循環していくという設定であろうという理解です。そして、食物連鎖や系統樹、更に私たちの脳などから、人には何らかの役割が与えられているのではないかと思われるのです。

生物の雌には、卵を産み或は子を育てると死んでいく物が多くいます。そのとき強い雄を選ぶのは、その方が継続・向上に対して有利であるからに違いありません。そのようなことは、生物に強い子孫を残すことが属性的にセットされているからでしょう。

雄同士の雌をめぐっての争いも、健気なほどの巣作りも、生まれた子を一途に守るのも、そしてそのように守った子でも縄張りの外の雄に殺されると、その雄の子を生むのも、時期が来ると群れから追い出すのも、そのような属性の現われではないでしょうか。

また、多産系の生物は成長して親になる数の確率が低い種です。これは逆をいえば、それだけ他の種に対する貢献度が高い、つまり、他の種の餌となり食物連鎖に組み込まれる役割の意味合いが強い立場である、ということを意味しているように思われます。対して、生まれた子の多くが親となる生物は一時に生まれる数が少なく、その分存在理由が量よりも質に移っているということであり、そのようなことは、生物全体としての継続を描いての摂理なのではないでしょうか。

人の男女の特徴にも、そのような宇宙の摂理が現れているように思われます。「成長を加算する」役割を担っているのが主に男で、「種の継続」を負っていることによる特徴を有しているのが女である、という存在意義ではないかという理解です。

例えば、創造性は主に男が受け持ち、ゆえに家庭より仕事が大切という面を持ち、視点が外に向かいがちであり、寝食忘れて没頭することもあります。対して女は、一途に思い込むことができるからお産をこなせるのであり、自らを犠牲にしてまでわが子を守り育てることで種の継続をこなしていて、食べ物やファッションに目がありません。

それらは宇宙の摂理の一面であり、向上型循環を男女で受け持っていることの現われであろうと思われるのです。因みに、性があり男女があるのも確実な継続と成長のためであり、違う遺伝子を掛け合わせ、親から子へ、子から孫への加算が可能となるのです。

勿論、全てが当て嵌まるわけではないのは、他の例でも同じですが、男の中性化や子を殺す親が多くなっていることなどは、それゆえ深刻な問題であるのです。

更にそのような繰返しの積み重ねは、より確かな方向への歩みであり、その意味で宇宙は優性遺伝子支配である筈と思えるのですし、また、向上型循環と捉えることもできるでしょう。

そのとき、その仕組みに応えることのできる立場にいるのが、思考し創造することのできる脳を持つ人である、といえるのではないでしょうか。

動く物である動物は、それゆえ、その動きをコントロールするための機能を有していなければならず、脳はその機能体として動物に備わったものであるでしょう。が、人の脳はその機能だけに留まらず、思考し創造することができるまでに進化したおかげで、人が使うときの使い方まで多様化がもたらされたのではないでしょうか。

いわゆる、善から悪までですが、その善も悪も基準次第で変わることが、判断を鈍らせてしまう一因であろうとも思われます。何時しか人はその脳に振り回され、虚構を向上・循環の疎外因子である、と見なすこともできないところまできてしまったように思えてなりません。

ユヴァル・ノア・ハラリは『サピエンス全史』で、農業革命がすでに虚構であるといっています。が、その視点に立てばその後の人類史も虚構と思え、今や各種コマーシャル、ネットによる中傷合戦、仮想通貨、そしてアメリカ大統領の呟きから世界の政治家の独裁化の傾向まで、虚構と思えてしまいます。

そのとき、それらの根の一つに「己ファースト」があるであろうと思われます。万民のための政治であれば、格差を助長することも難民を出すこともない筈です。想定外の自然災害が年々増え、想定外の疫病に世界中が汚染されるほどの社会としてしまったことは、虚構史の結果であるといえるのではないでしょうか。向上型循環であるためには「ワンチーム」「共生」であるべきで、お互いを励ましあい高めあって一丸となる心こそが大切なのです。

世界中を混乱させた新型コロナウイルスは、格差社会を浮き彫りにし、循環することの大切さを多くの犠牲の上に示唆しました。特に経済的行き詰まりは、循環してこその社会であることを見せつけたのです。それらは、「私たちにとって大切なものは何か」とか「私たちの文明はどうあるべきか」、というようなことの確認を促したようでもありました。

人が苦境に立つとき向かい方はそれぞれですが、その対応には計算が働くということがあります。各国共、社会や経済が混乱すると主導している政治家の力量が問われますが、取り分け米中のリーダーの立場は大変です。発生源とされる中国の指導者としての責任や大統領選挙への影響は深刻で、すると、それらへの対応が形として現われます。

ＷＨＯによるパンデミック宣言が出るころには、新型コロナウイルスは世界中に広がっていたのです。このようなとき、その関係者はどのように世界に向き合うのだろうかと思っていました。が、それは米中によるウイルスをめぐるさや当て合戦になったのです。

そのような構図に対する一般的立場は、どちらをどう信じたら良いのか、不信感が満ち溢れ人間関係としては最悪です。フェイクニュースのやりあいは典型的な虚構の世界への誘導ですので、不信感の広がりは人と人との拠り所を奪い社会性を崩壊させます。

こうなると、ウイルスを思惑通りにコントロールできなかったゆえの責任問題の次元ではなくなり、人の位置がここまで来たか、という強い失望にとらわれます。

そのような現実は、人の歩んできた方向に誤りがあった結果、と思えてきてしまうのです。「現在の姿は、それまでの歩みの中で起こった全ての経験の結果」という意味で。

コロナウイルスは人・人感染が主ですから、この流行を抑えるには人同士の接触を限定的にすることが有効です。と、教育・勤労・納税の三つの義務の履行や経済の維持は難しくなりますから、感染の広がりを抑えるための自粛の要請とのバランスが問題となります。が、それ以上踏み込むならば、そうすることで生まれる矛盾に対しての対応が必須となるでしょう。

それは、義務の不履行と経済の落ち込みに対する向かい方を問われることですので、深刻な問題となります。経済優先ともいえる世界を展開してきた先進国にとって、感染拡大と日に日に疲弊する経済の解決は難問なのです
そのようなことを考えたとき、医療、検察、司法、経済、言論、行動ほか全ての情報のコントロールもできてしまう程の独裁的全体主義のやり方もさることながら、民主主義の在り方も根幹から問い直すことを迫られているようにも感じます。

人は、人自身の間でも、自然との関係でも、虚構の極みといわざるを得ない程の立場に来てしまっているのかも知れません。それが現在の人の営んでいる社会の実体といえるようにも思えます。虚構とは実態を隠し、噂、誹謗、中傷……真実と違う姿であり、心の位置の問題です。

通貨を操る民間会社が、国の年間予算を超えるほどの利益を上げていることなど、虚構の極みに違いありません。使うことのない核兵器の性能を高め、幾つもの地球を吹き飛ばすほどの威力を蓄えて何の正論か、でしょう。

コロナウイルスの世界的拡散により人や物の動きに制限が生まれ、これまで当たり前と思っていたことがそうではなくなると、人の位置や役割を振り返り、人の築いてきた社会とは何なのかとの自問も起こります。と、これまでのような世界に距離を置いた立場のもと、人に与えられた役割を見据えて取り組むことに存在意義があり、そこに地球をシステムとして見た視点での、宇

宙人としての存在があるのであろうと思われます。

そのとき、大切に思えるものは生命の継続性ある姿であり、自然のもとで営む私たちの循環していく生活のことではないでしょうか。その方向付けをする基本は心との向き合い方にあると、思わざるを得ません。計算をするのは心がするのです。マスクを高値で裁くのも、周りとの間で融通し合うのも、心の働きです。「きれいごとでは世渡りはできない」は、単なるきれいごとの諺ではないと、気付かなければならないでしょう。そうであるから向上的循環があるので、そうでない行きつく先は劣化であり、その結果としての行き詰り、消滅だからです。

一四世紀に猛威を振るったペストは人を退廃的にした面もありましたが、その退廃の先は、行き詰まりであっても継続の方向ではないのです。対して、自然の発見や人間性の尊重などの模索のもと生まれたのが、文芸復興としてのルネサンスであったでしょう。以後バロック、ロココ……と展開していきます。私たちは今、このときと同じような立場にいて、次なる生き方、役割を問われているようにも思われます。

人類を滅亡させるかもしれないのは、疫病だけではなく、ウイルスよりも小さい心という、存在すら確認できないが確実に人をコントロールしている存在があり、これとの付き合い方が私たちの行く末を左右するに違いない現状でしょう。

そのとき、私たちが拠り所とすべき「向上的継続性のある生き方とは」、ということをどこまで追い求めることができるかが、重要となるでしょう。人類社会の今後はその社会をつくる心とどう向き合うかに係わっているといえるでしょう。そこから、人にとっての価値観も、生き甲斐も、社会や文化も……位置づけられていくように思われますし、それは偏に心の為せる業であるでしょう。そのようなむかい方ができて初めて、コロナウイルスも含め、ハラリがいうように「人類は疫病をコントロールできるところまで来た」といえるように思われます。

そのような視点はどのようにして得られるのか、そのための拠り所として考えられる心の問題を、次にヨーガの中に捜してみることにします。

ヨーガ

ヨーガやサーンキヤ哲学は唯識との結び付きが強く、それらが伝える事は示唆に富んでいて、まさにインド五千年の秘法といわれる如くの積み重ねの世界があります。そのようななかで、五世紀頃インドのパタンジャリによって編纂されたと伝えられる「ヨーガ・スートラ（ヨーガの教典）」では、心をどのように捉えているのか、『ヨーガ・スートラへのいざない』（田原豊道監修、荻山貴美子編著）から幾つかを拾い出して考察してみたいと思います。

「ヨーガ・スートラ」は四つの章で成立しています。

第一章　サマーディ・パーダ（三昧の章）

一章の始めに「ヨーガは、心のはたらきをコントロールすることである」とあります。では、どのようにして心のはたらきをコントロールするのでしょうか。それは、学習と離欲によってなされるとしています。そして、学習とは、心に不動の状態をもたらそうと精進することであり、離欲とは、見たり聞いたりした対象への欲望から自由になるときの克己の意識のことといいます。

更に、「プルシャア（真我）の知識を得、グナ（要素）に対してさえ執着がなくなったとき、それが至上の離欲である」とあり、修業を続けた先に、さまざまな三昧を経て「ニルビージャ・サマディ」すなわち種子を離れたサマディ（無種子三昧）があると結ばれています。

第二章　サーダナ・パーダ（実践の章）

「熱行と読誦と自在心への祈念がクリヤーヨーガ（ヨーガの勤行）である」とし、「クリヤーヨーガは三昧を修するためのものであり、また煩悩を弱めるためのものであるからである」と始まります。そして、諸煩悩（無明、自我意識、愛着、嫌悪、生命欲）やヨーガの八部門（禁戒、勧戒、坐法、調気、制感、凝念、静慮、三昧）などを説明し、「その結果、感覚器官の最高の従順性が生じる」で終わります。

また、「回避されるべき苦の原因は見る者と見られる者との結合である」「それ（＝無明）が存在しなければ結合も存在しない、それ（＝無明）が結合の解放である。すなわち見ること（＝プルシャ）の独存である」ともあります。

第三章　ヴィブーティ・パーダ（自在力の章）

第三章は、前章の「凝念、静慮、三昧」の説明から始まり「凝念と静慮と三昧の三つを一つにして綜制と言われるのである」といい、寂静転変、三昧転変、専念転変に触れ、「転変の三種に綜制すれば過去と未来の智慧がヨーガ行者に生じる」としています。

更にその他の綜制について解説しています。幾つか挙げれば、「前生でつくられた潜在印象に綜制し潜在印象を直観することにより、前生の智慧がヨーガ行者に生じる」「慈など（＝慈・悲・喜）に綜制すればもろもろの力（＝慈の力・悲の力・喜の力）が生じる」「太陽に綜制すれば、宇宙を知ることができる」「臍のチャクラに綜制すれば、身体の組織を知ることができる」等々です。

そして、「頭頂の光に綜制すればシッダ（＝自在力を持つもの）を見ることができる」「サットヴァ（純質＝清浄要素）とプルシャは、絶対に混じることはないのに、それらを区別しない観念が経験である。サットヴァは他（＝プルシャ）のための存在であるが故に、自己のために存在するもの（＝プルシャ）に綜制すれば、プルシャを知ることができる」

更に「サットヴァ（純質＝清浄要素）とプルシャとの相違の叡智をもつもののみすべての存在の支配者たるのであり、また全知者たるのである」「それら（＝すべてのシッディ）への離欲によっても、束縛（罪過）の種子が消去したならば、独存が得られる」「サットヴァ（清浄要素）とプルシャ（真我）の清浄さが等しくなったとき、そこに独存がある」となります。

第四章　カイヴァリヤ・パーダ（真我の独存の章）

ヨーガの目的はこの「真我の独存」であるといえるでしょう。そして、第四章はそれについての章です。

「成就（＝自在力）は生まれつきあるいは薬草あるいはマントラ（＝言葉の力）あるいは熱行あるいは三昧によってもたらされる」から始まり、「現象としての心は、自我意識（＝我執）からのみ生じる」「現象としての心の発現の違いはあっても、多くの心を活動させる心は、ただ一つである」そして「客観的に存在する事物は同一であるのに、それに対する心は違いがあるから、それら二つ（＝心と事物）の道は異なる」

以降、心の多面性多様性について触れ、例えば「それ（＝心）は、無数の薫習（残存印象）によって多様を呈すが、また他者のために（＝プルシャのために）存在する。何故なら、心は集合体であるから」とあり、「プルシャ（真我）とプラクリティ（自性）の区別を見る人は、自己の存在についての観念（＝プラクリティを真我と誤認する妄想）が消える」

更に、「そのとき、心は識別（＝識別智）へと傾き、真我の独存に向かう」そして、「独存とは、プルシャ（真我）に対する経験と解脱の目的がなくなった三つの要素が本源であるプラクリティに戻ることであり、あるいは、純粋精神（＝プルシャ）の力が、自己本来の姿に安住することである」で終わります。

このようにみてくると、ヨーガ・スートラのいわんとすることとは、「ヨーガは、心のはたらきをコントロールすることである」を主題に各章で様々な追求をし、「真我が自体に安住すること」に辿りつくことを伝えることであり、その一連がヨーガである、といっているように読めます。

この「心のはたらきをコントロールすること」が「真我が自体に安住すること」になることとは、「解放すること」ともいえるでしょう。

ヨーガでは、このような「永遠、極限、無限」である存在をイーシュヴァラ（自在神）といい、「その全知全能なる最高神に身を委ねることこそがヨーガである」といいますが、それはまさに、ヨーガ・スートラのいわんとすることを要約した一言、といえるように思います。

いい替えると、プルシャがプラクリティに関心を持ったことによりトリグナのバランスが崩れ、転変開始となります。そして、それまで「永遠、極限、無限」であった無の世界のバランスが崩れ、「永遠、極限、無限」ではなくなり、つまり「無」ではなくなるのです。ということは、「有」の始まりであり、崩れたバランスを求めての動きが生まれるということです。その動きは、動くほどバランスが崩れる方向の動きであり、サーンキヤ哲学のいう自性→覚（大）→我慢→意・十根、五唯・五大です。

このとき、これを逆に遡るのがヨーガの行であり、そのことによって悟りの境地に至る、ということは「無」の境地に至る、でしょう。ゆえに、有形界とはバランスを求めて、安定を求めて歩む界であり、その意味で反応系の界であり、煩悩との戦いの界でもあるのです。

また、一切皆苦であるので、心のコントロールをすることによって、悟りの境地たる無の世界を目指す界でもあり、それがヨーガであるともいえるでしょう。

従って、心の持ち方次第で界の在り方が変り、つまり、私たちにとっての社会が変るのですから、それが有形界における人の課題となるのです。存在一般は、属性的に存在と継続が与えられているのに対し、人には想像することのできる脳が備わっているということが大きな違いです。

方向性はじめ、その内容いかんも含めて人に任されているというか、人の立ち位置を試されているようなものでしょう。ということは、そこにこそ、人に与えられた使命があるのであろうと思われるのです。

アニル・ヴィディヤーランカールは「ヨーガは基本的には、心の修練です。心を常に平安と喜悦の状態に留めおくために、心の特質と心に及ぼす影響力並びに心の開発法を解明するものです」（『ヨーガの四季』中島翠巌訳）といいます。人心の乱れを糺すことが人類社会の継続・向上に必要であるならば、ヨーガは大いなる拠りどころとなるに違いありません。

音について

音は、空気の振動によって現われます。が、空気だけでなく水などが振動の媒質になることもあります。要は、媒質になるものの受ける圧力の変化が音を生む、です。太鼓をたたくと膜の振動が空気の振動となりそれが音として伝わっていきます。それは、空気中にある無限の情報の中からその音が誘導されて現われた、と解釈することもできるように思います。音は波動であり、反射、屈折、回折、干渉をします。

光も波動であるので反射、屈折、回折、干渉をします。共に波なので、そのような現象を属性として有しているのです。波の振動はその長さや数による周期として表すことができます。光は、電波、赤外線、可視光線、紫外線、X線、γ（ガンマ）線等と同じように電磁波の一種です。

音楽とは、空気中にある無限の情報を、楽器を使って空気を振動させ音として取り出すことから生まれる、といえるように思います。一つの音は周波数を持ち、これが少なければ低い音、多ければ高い音です。これに振幅の違いによる強い音と弱い音、そして時間的な長短を加えて組合せて旋律が生れます。

どの音を取りだすか、どのように連続させてどんな曲にするかは作曲者の意図と感性です。楽譜をどう読んでどう表現するか、演奏者をどうリードするかは、指揮者の役割です。楽譜、指揮に従ってどのような音を出すかは演奏者の技量です。

音楽を奏でる楽器には、ピアノやバイオリン、トランペットや太鼓等の他、雅楽器や民族楽器としての独特な物もありますが、それらを使ってどのような曲として表現するか、全て人となりの結果でしょう。ショパンの音は、ショパンならではであり、それがショパンの感性です。

クラッシック音楽の演奏において、ヨーロッパのオーケストラが奏でる音と、日本のオーケストラの演奏とに違いがあるのもそれでしょう。ヨーロッパには、クラッシックを生みだす気候風土や文化があり、その背景をもった音楽家が作曲し、演奏し、また楽器を作りホールを作り、の伝統を築いてきている歴史があるからでしょう

ウィーン・リング・アンサンブルの演奏などは最初の音が出た瞬間、思わず「ウヮーッ」と涙が出そうになるほど感動してしまいます。リーダーのライナー・キュッヒルがいっているように、音楽が生活の一部になっており、特にヨハン・シュトラウスは「血に染み込んでいるほど」という身近さだからでしょう。同じ楽譜であるのに、醸し出すものがこうも違うものかと感嘆し、作曲当時の舞踏会の雰囲気や生活の様子、風土等が想像されるほどです。

残念ながら日本のオーケストラでは、そこはなかなか難しいことです。それは、土壌が違うから仕方のないことであるので、近年の日本人のコンクール入賞者がヨーロッパで学んだ人が多いことでも頷けます。バッハやベートーベンの音楽にしても、そのような宗教、生活、そして風土があったればこそ生まれたという了解となります。その種の理解度、染み込み度の位置が違うから、反応度が違うのです。

従って、洋楽歴百年程度の日本人には及ばない世界ですが、当然、雅楽や琴、尺八等、日本で育った音楽に関しては逆になります。例えば、楽器の持つ倍音の違いや音色の違いなどはその例として挙げることができるでしょう。そのような感性の違いが、これはこれで作曲者や演奏家、楽器の製作者に染み込んでいるからに違いありません。

それが音に対する翻訳力の違いともいえます。民謡などはそれぞれの地方色が豊かに出ていて、

お国ならではです。それはまた世界中の民族音楽についてもいえ、そのような音楽は、生活が創り出した音楽ですから、心の故郷ともいわれるゆえんです。

和辻哲郎が『風土――人間学的考察』で指摘しているように、モンスーン、砂漠、牧場では気候も地形も日常生活もすべからく違います。従って人の反応や行動にも違いが生まれ、それぞれの文明・文化が生まれるのです。モンスーン、砂漠、牧場とは典型的な例ですが、人は拠って立つ環境によって全てが変ります。

環境とは単なる気候風土という意味だけではなく、都市・郊外、職場・家庭、知人・友人そして身の回りの物をも含めたすべての場のことです。そのような場との間で情報のやり取りをして自らを位置付けているということになるゆえ、その係わりは大きいものがあります。

似た者夫婦も、血に染まれば赤くなるも、同じことです。文化や文明も、それぞれの土地、民族の中から、長い間の繰返しのもと生まれたものです。

その環境も、人を基準にすれば今あげたようになりますが、例えば細胞にとっても、周りの細胞や細胞が集合した臓器、水の内容などによって己の在り方が変ります。また、無機物であっても温度や圧力が変れば変ります。

ということは、場の大切さが全ての存在に対していえるということでしょう。そして音も、宇宙という場から生まれたのであり、そのような場から生まれた内容を有しているといえるでしょうから、作曲者、指揮者、演奏者によって訴えが変るのは、そこからもたらされる様々な要因が重なってのことでしょうし、量子的にいえば、そこには聴衆の存在も係わっているのでしょう。

これらのことは、『脳が心を生みだすとき』（スーザン・グリーンフィールド、新井康允訳）に記述のある次のようなことでも裏付けられるものと思います。

「……外界で起こったことが何であれ、それに対応できるように回路を活発に形成している。人間の脳では一六歳まで、ニューロン間で激しい戦いが繰り広げられる。これは結合を形成するための戦いである。新しいニューロンが標的のニューロンと結合できなかったら、あるいは十分な刺激を受けなかったら、その新しいニューロンは死んでしまう。」

「……重要なのはニューロン間の結合だということがわかる。環境からの刺激の程度によって、ニューロン間の接続がどのように形成されるかが決まり、その結果、個人の記憶がどのように形成されるかも決まる。……こうしたことからあなたの人となりも決まってくるわけである。」

「……脳はニューロンでできており、こうしたニューロンが働いている回路は、一部は遺伝的に決定されているものだが、大部分は環境からの影響を受けてつくられる……」

風土の違いは気象現象や植生の違いとして現われ、更に音の違いとしても現れるでしょう。森の音、草原の音、風の音、街の音、人の声、水中の音……。全て場の違いによる情報の違いの現われといえるでしょう。

『世界は音　ナーダ・ブラフマー』（J・E・ベーレント著　大島かおり訳）には次のようなことが記されています。

「海――とくに深海――が音に満ちていることは知られている」「海の哺乳動物であるいわゆるクジラ目の祖先は、陸上に棲んでいた。海に――光のとどかない深いところにまで――棲めるようになったのは、彼らが音を創造する能力を発達させたことによってである。」

「草原や畠や森の植物は、もし自分の振動が――つまり音が――まわりに生えている植物の振動と調和しないと、成長がとまってしまうのだ。……ある種の植物同士は、じかに隣り合わせだと育たない――それらが基本的に同じ土壌・気候条件を好むもの同士であってさえ、だめなのだ。その理由が、いまではわかってきた。それらが共存できないのは、おたがいの振動が合わない、サウンドが協和しない、音が不調和関係にあるからだ。」「西の世界では、植物の知覚能力は『バックスター効果』として知られるようになった」

※「バックスター効果」とは、米国のうそ発見器検査官のクリーヴ・バックスターが、うそ発見器をとおして植物に知覚能力があることを発見したことを指します。『植物の神秘生活』（ピーター・トムプキンズ＋クリストファー・バード著　新井昭廣訳）他に紹介されている現象。

「哲学者ピュタゴラスは弟子に、岩は石化した音楽だと言った――これは近代科学によって完全に確認されている一つの直感的認識である。今日われわれは、自然的宇宙にあるどの粒子もすべて、それ自身の独自な振動の周波数と型と倍音とによって、つまり自分の〈歌〉によって、みずからの特性を得ているのだということを知っている。」

「至るところで、世界を秩序づけ、世界に美しさを与えているものは、音なのだ。音の力と勢威のまえでは、宇宙の『粒子』も、惑星や恒星も、音の『呼びかけ』を受ける砂の粒子にすぎない。音は何を呼びかけている？　われわれはそれを知った。秩序と構造と美への呼びかけだ」

「音が世界を呼んでいる。世界は音を発して呼んでいる、と。世界は音だ。ナーダ・ブラフマー」

また、インターネット・ブログの『今ここにある　ナーダ・ブラフマー』には、「ブッディスト・モンクス／サキャ・タシ・リン～癒される場所」というCDのライナーノーツに、次のような説明がありました。

「ナーダとは音のこと、ブラフマーとは宇宙創造神のこと、『音こそ神なり』という教えだ。

私たちが生きているこの世界は、何もない無の虚空から、音によって想像され、形づくられ、今も動かされている。この音は人間の耳には聞こえないのだが、天空から地上まですべての空間に満ち満ちており、その音と響鳴・共振することによって、目に見える世界、耳に聞こえる世界が生まれている、というのだ。

この音を『虚空の音』と呼ぶことにしよう。この地上に存在するあらゆるもの、岩も風も水も、花や樹や動物も、私たち人間の体や心さえもがこの『虚空の音』と響き合いながら自らの姿を形作り、動き、働いている。

すべての存在は、たった一つの源『虚空の音』から生まれ、それぞれに独自の音（波動）を響かせながら互いに響鳴し合い、さらに大きなシンフォニーを奏でている。というのが、この『ナーダ・ブラフマー』の教えなのだ。

映画監督　龍村　仁

そうであれば、我々人間は、人間通し（石山注・原文のまま）だけでなく、象や鯨とも話ができるし（響鳴できる）、岩の意識を感じ、風邪の伝言を聴き、樹や花と共に歌うことができるはずなのだ。人間は、自分の内なる波動をチューニングさえすれば、この世のすべての存在と時空を越えて響き合える、という訳だ。……」

そして、「お客様は神様です」といった三波春夫にとっての音（声）が、「声はその人の魂の音色です」という書を残す程であったのは、そのような思いで向き合い、唄っていたからでしょう。ヨーガでいう「オーム」とは、以上のような意味を込めての宇宙と一体になる梵我一如でもあるでしょう。

『植物は何を見ているか』（古谷雅樹著）には、

「……『光を吸収した物質』から、すべての光の作用の物語は始まります。では生体内に存在する物質は、どのような波長の光を吸収するのでしょうか。分光光度計でいろいろな物質の光吸収を計ってみると、それぞれの物質には固有の定まった波長の光を吸収する性質があることがわかります」

「光は、フェムト秒（10のマイナス15乗秒）という短い時間のうちに物質に吸収されます。……光を吸収した物質は、光のエネルギーによって原子や分子の動きが活発になり（励起状態）、不安定な状態になりますが、ピコ秒（10のマイナス12乗秒）からナノ秒（10のマイナス9乗秒）ぐらいの時間が経つあいだに、光からもらったエネルギーを使って分子の構造を変えたり、あるいは周囲に存在する他の物質と反応をおこしたりして、励起状態から再び安定な状態に戻ります。光が色素に引きおこした影響は、その細胞の中で次つぎに反応を引きおこして拡がってゆきます」

「……光を受けた細胞から光を受けていない周辺の組織へ光情報が伝えられる……」

「……光は宇宙の根源につながるエネルギー存在様式の一つですが、生命現象にも深く関与しています」

とあります。光は電磁波であり、音と同じように波動性を有し周期として現すことができます。創造主の心の働きは、電磁波という情報伝達因子を通して宇宙空間を満たしていると思われるのです。

音楽に感動するのは、音を介して情報の共鳴・翻訳をするからではないでしょうか。即ち、吸収した情報だけが反応に係わる、ということです。音とは情報の現われであって、ゆえに、あるところに或はその音特有のところに、心を誘導することができて、それが私たちにとっての感動でしょう。

ビバルディはビバルディの音を持ち、モーツァルトもブラームスも、そして美空ひばりや森進一も、それぞれの思いによる翻訳をしている結果の音であるでしょう。ＮＨＫの「小さな旅」のテーマ音楽は、過ぎし日の或るときに、何処かであった何かを思い出させようと誘導されるような思いに捉われますし、「海」や「映像の世紀」等のスペシャル番組のテーマ音楽も、その内容を彷彿とさせてくれます。それは、音にそのような意味・情報があり、その音に誘導されてのことだからではないでしょうか。更に、歌詞のつく歌になるとより具体的になります。

法華経には威音王仏という如来がいて「恐ろしく響く音声の王」といいます。天地未分のところに出現したといいますから、宇宙の始まりと共に現われた音のことともとれます。ならば音とは宇宙そのもの、或は、宇宙を満たしている情報が音として現われたもの、ともいえるのではないでしょうか。その情報は心が動くことからもたらされ、音も水も香りも色もそして電磁波も、その情報の伝達因子であり、それらの反応系が心の働きとして現われるのでしょう。そして、その反応の場が我々の心であり宇宙であろうと思われるのです。

宇宙とは創造主の心という場であり、存在それぞれが有している心を通して共鳴し合える場であるといえるのではないでしょうか。「宇宙は音で満たされている」は、「宇宙は情報で満たされている」でもあるでしょう。音とはそのような存在のもの、といえるように思います。

人間の分際

これまで宇宙の仕組や人の特性などをみてきましたが、最後の項目として「私たちの存在意義」について考えてみたいと思います。

昭和三十五年の文化勲章受章者である前出の岡潔は、その当時随筆風の本を多数残し、盲目的になっている私たちに気付きを促しました。それらは、岡潔の人類に対する切実な目覚めを促す思いだったに違いありません。私たちは、目の前の日常的なことに流されがちです。対して岡潔の世界は、科学的視点に仏教的視点が加わり、仏教的視点には心の問題が含まれます。

人類がこれまでに築いてきた世界は、科学技術によって得られた素晴らしさをもって、人類の進歩・発展の結果と捉え、「さすが人類」としてきた感があります。が、現代社会には欠けているものがあり、それが心の問題です。仏教はそこに気付かせてくれます。岡潔の視点を通して「仏教的自然」ともいうべき世界を振り返ってみたいと思います。

『葦牙よ萌えあがれ』には次のような記述があります。

「……その知力は、無意識に働くのです。……そして結果が出る。その結果の出方は、一時にパッとわかって、順々にわかったりするのではない。この二つの特徴を持った知力を無差別智（むさべっち）というのです。無差別とは、無意識というような意味です」

「仏教は、心の中に自然があると言っている。無差別智とは、その心に働く知力だというのです。

心には、ギリシャ流に分けて、知・情・意の三方面があるが、そのどの方面に働くのかと言いますと、知・情・意の三つともに働くのだというのです。……

その心は共通の心なのか、それとも、一人一人別々の心なのかと聴くと、仏教の答えは、一面共通であって、一面、一人一人個々別々なのだと言っています。……心の世界は数学の使えない世界です。……物質的自然には、無差別智は働き得ない。これで、物質主義は間違いである。我々の住んでいるのは、仏教的自然でなければならない」「仮に、仏教的自然の中に住んでいるのだとすると、何が自分かということになるが、一番はじめにあるものは心です。……仏教的自然の中に住んでいるのが自分です。……心が自分だというその自分を、仏教では、真の自分ということで〝真我〟、あるいは〝大我〟という」

「心というのは真我、その真我へ無差別智が働く、これが知力です。この心の働きは、大脳前頭葉へ現われる……自然が人に伝わるのに二段階ある。最初は大脳側頭葉に伝わる。それは感覚としてわかるのです。自然とか人の世とか、外界が伝わるのに最初は感覚としてわかる。そして、その次に大脳前頭葉で受けとめる。この大脳前頭葉は、感情、意欲、創造の働きをする。創造とは、クリエートするという働きです。そうすると、情緒になるのです」

「……おれが、おれがという感情があると、クリエーション、創造がよく働くと思う人が多いようですが、あれは創造でない。工夫考案であって、それは側頭葉でできる。しかし、そこまでです。生み出すという働きは、前頭葉でなければできないものです」

「側頭葉は、簡単にいえば記憶判断をつかさどり、前頭葉は、感情、意欲、創造をつかさどります。特にこの創造ですが、その知的働きを働かせるためには、後のものを抑えてしまわなければならない。だから、目的に合わない感情、意欲を抑止するわけです。

それから、側頭葉が前頭葉の命令なしに働き出すことも抑えなくてはならない。

……側頭葉だけで判断するのが困るのです。これは、衝動的判断といって、生活が衝動的になりやすい。この衝動を抑止しているのが、大脳前頭葉だといえます。これは、根本の働きで、衝動を抑止しなければ、知的に働かないのです」

「宇宙開闢の初めは第九識である。（仏教には心を層に分って説く習慣がある。第九識というのは心の奥底である。）

第九識は一面唯一であって、他面一人一人個々別々である。第九識の唯一の一面を如来（無量光寿の如来）といい、一人一人個々別々の一面を各について個という」

「真の自分とは個のことである。これを真我という。しかし人は迷って五尺の体を自分と思い勝ちである。これを小我という」

「創造が頭頂葉に実るのは、明かに無差別智が頭頂葉に輝くからである。前頭葉の働きは、何によって出るのであろう。……仕事の場は前頭葉である。そこへどのようにして頭頂葉の意向を伝えるのであろう……」「前頭葉が十分の働きをするのは、頭頂葉に発する無差別智の光りが、前頭葉を裏照らしているからである」

「無差別智に四種類ある。……四智の中でとりわけ大切なのは平等性知である。自明がわかるのも、存在を与えるのも、可哀相にと思うのも、善（崇高なもの）を指向して微動だにしないのも、皆平等性智の働きだからである」

「…情緒（広義＝無差別智）という太陽…」「……無差別智の光（太陽）…」

そして、78ページでも触れましたが、『日本民族』に次のようなことが書かれています。

「山崎弁栄という上人がある。……その上人がこういっている。前頭葉は理性の座、頭頂葉は霊性の座。これは前頭葉は人の座、頭頂葉が神の座というような意味である。

それで私は情操判断は頭頂葉がするのだと、……暫定的に決めていようと思う。」

一読して理解できる世界などではないかもしれませんが、概ね次のようなことがいえるのではないでしょうか。

はじめにあるものは心であり、その心は一面共通、一面、一人一人個々別々です。そのような真我という心に働くのが無差別智でこれが知力です。そして、この心の働きは、大脳前頭葉へ現われます。創造が頭頂葉に実るのは無差別智が頭頂葉に輝くことによります。前頭葉が十分の働きをするのは、頭頂葉に発する無差別智の光りが、前頭葉を裏照らしているからです。これらの働きをより良くするには、側頭葉をコントロールして〝おれが〟を抑えることです。

また、「芭蕉が『世捨て人』と見えたのは芭蕉が『無』を悟っていたからである。無を悟るとは、何がエッセンシャル（本質的）で何がトゥリビヤル（日常茶飯事）であるかを知って、そのトゥリビヤルなものに全然関心を持たぬことである」「芭蕉は『さび、しをり』や『風雅』を目標としたのではけっしてない。これらは皆『解脱するための手段』だったのである」（『日本民族』）とあるのも、そのようなことをいっているのでしょう。

さらに、「頭頂葉は霊性の座・神の座、前頭葉は理性の座・人の座」とは、無差別智という太陽光を頭頂葉に受けて、前頭葉が反応するのであり、これは、創造主の心から出た情報を、人の心が受けて翻訳・行為するということのように思われます。それが、「無差別智の大海の中の操り人形のようなものである」ということでしょう。「無差別智の光（太陽）」とは、太陽を通して創造主が発する情報のことではないでしょうか。私たちが地球上で起こしている文明は、そのエネルギーを始めとして須らく太陽光に由来しています。太陽光にはそれだけの情報が内包されているということであり、光化学の第一法則のいう仕組により、人が、地球が、あるいはそれぞれの物質が翻訳・利用してきての現在であるでしょう。

以上のようなことを通して、例えば、創造を繰り返していくことが次にいう「人生の真の目的は向上でなければならない」に繋がるのであろうと思われ、これこそが私たちに与えられた「存在意義」の一つであるに違いないといえるのではないでしょうか。

『紫の火花』から幾つかを挙げてみます。

「……向上には真、善、美、妙と四つの道がある。妙というのは宗教である。……人生の真の目的は向上でなければならない。小我を自分だと思い違いするから、幸福が目的になる……」

「大自然の理法（理法といえば同時に力を意味する）とは『情緒を形に表現する』ということではないだろうか」

「大自然は情緒を自然という現象によって表現しているらしい。大自然の造化力といわれているものは、実はこの表現力であろう」

「大自然の理法を借りようとすれば、その前に文献をみな自分の情緒に変えて貯えておかなければいけない。……

文献を深く読んでこれを体取するとき、そのときの大脳前頭葉の感情、意欲と同質の情緒ができてしまうような気がする。独創の持つ個性は、いち早くここでできるのだと思う」

「情緒を形に表現することは大自然がしてくれるのであるから、大自然に任せておいて、人はじぶんの分をつとめるべきである。情緒を清く、豊かに、深くしてゆくのが人の本文であろう。これが人類の向上ではなかろうか」

「……前頭葉に宿る創造の精神、つまり前向きの精神こそ、人間の本質である。知能をたかめ、教養を身につけ、文化を形成してゆくことができるのは、すべて創造の精神があるからこそだ」

『日本民族』から挙げると、

「人の識には三つある。顕在識、潜在識、悟り識……悟りは日本では神道、中国では黄老の教えのなかにある。仏教では潜在識を末那識（まなしき）、悟り識を阿頼耶識（あらやしき）という。日本では荒魂（あらみたま）、和魂（にぎみたま）という
……日本民族や漢民族には悟り識が開けている。だからその文明は創造の喜びに充ちているのである」

「始めに霊性という心（一番根底の心）があるのである。この心は一面共通で一面個々別々である。時間も空間も、自然も、人の世も、五尺のからだという自分もみなこの心の中にある。

この心（霊性）には無差別智が働く（四種ある。大円鏡智、平等性智、妙観察智、成所作智）、だから生命現象が起こるのである。だから生命現象というのは心の世界の現象である。（智は心の知、情、意の三方面にみな働くのである）」

岡潔のいうこれらのことから、更に次のようなことがいえるように思うのです。
「始めに霊性という心があり、この心は一面共通で一面個々別々」を解釈するに、霊性とは「神々はどこにいるかというと霊性の中にいるのである。だから日本の自然がこんなに美しく、……神々が人の心よ美しかれと見せてくれているのである」（同書）という神のいるところ、のことでしょう。

そして、見方によって一つでもあり二つでもあり……、ということや数学の使えない世界ということは、「有形の世界ではない」ということです。ならば有形以外のどんな世界を描けば「一面共通で一面個々別々」が在り得るかです。と、華厳経のいう事事無礙法界（じじむげほっかい）の如くの、空性に支えられた広い意味の「無の世界」と理解することができるのではないでしょうか。

「無の世界」とは心の世界であり、概念の世界です。そこでは何であれ、自由に描くことができ消すこともできます。時間や空間に左右されることもありません。概念としての一であるならば「一面共通で一面個々別々」は在り得ますし、重なって他の存在を妨げることもありません。この「心の世界」とは「無の世界」でもあるし、「情報の世界」と理解することもできるでしょう。そして「第九識の世界」というのもまた、そのような世界を指すのではないかと思われるのです。

二一一ページに出てきた無量光寿の如来とは直接的には太陽光であり、その先に御座す宇宙の創造主或はその光明のことと思われるのです。この世界には時間も空間もないということは「無の世界」といえるでしょう。「有形的な個は無い」とは無です。が、無量光寿の如来としての機能はあるのですから、それを情報と解釈することはできるでしょう。光明とはそのような機能を持った情報体であり、見方を変えると、情報伝達因子です。

前にも記しましたが、その意味で光や水、音、香、色などは情報伝達因子であり、その本体は電磁波という周期をもった波動でしょう。電磁波が創造主の情報を運んでいるのであり、その情報の届いている範囲がこの有形宇宙なのです。

ということは、この宇宙は電磁波で、情報で、満たされているということにもなります。人はその無限の情報・無差別智を頭頂葉で受け、前頭葉に伝え、そこで人としての創造をしている、ということではないでしょうか。閃きもお告げも勘も、それであると思われます。

そうでなくて、脳を使い何をしているのでしょうか。脳はあくまでも閃きを誘導し創造等を司る機能体であって、閃きそのものは、岡潔のいう或は山崎弁栄上人のいう無差別智であり、それは創造主の心の働きのことなのではないでしょうか。それを大脳の頭頂葉で受けて、前頭葉を使って創造をしている、ということでしょうし、私たちの心同士も創造主の心を介して通じ合っている、というのが仕組であろうと思われるのです。ゆえに私たちには以心伝心という心の理解の仕方があるのです。

そのような積りで岡潔のいうことを読み返してみると、納得いく範囲が広がるのではないでしょうか。この有形宇宙はそのように形成されていると思われるのです。

そしてこのとき、無差別智が働くのは仏教的自然の真我に対してであり、物質主義では働かないといいますが、それは真我の状態の頭頂葉、ということであろうと思われます。

　仏教的自然のなかであれば無差別智を得た文明の展開がありますが、物質主義ならば我々の小手先の文明を展開するにすぎず、それは劣化、縮小のすえ消滅の方向への文明となる、ということではないでしょうか。ならば、この有形宇宙を継続性のある確かなものとするためには、物質主義を改めなければならないことになります。

　それは、資本主義経済というシステムによってもたらされた面が多く、資本≒貨幣≒物≒効率・利便性→心の劣化という構図が描けるほどです。但しその場合は、貨幣に対する向かい方が問題なのではないかと思われます。例えば、貨幣をうまく使って創造を導き出すのではなく、貨幣に振り回され貨幣の亡者になってしまう、ということのように。現代社会が抱える人心の乱れ、心の劣化、それに伴う秩序の崩壊などはそのような結果としての姿ではないでしょうか。それにしても今や、取り返しの効かないところまで来ている感すらあることが、気になります。

＊　＊

「大自然の理法を借りようとすれば、その前に文献をみな自分の情緒に変えて貯えておかなければいけない。……文献を深く読んでこれを体取するとき、そのときの大脳前頭葉の感情、意欲と同質の情緒ができてしまうような気がする。独創の持つ個性は、ここでできるのだと思う」

とは、ここでいう「空」に通じることのように思えます。繰り返すことによって、或は腹に落すことによって自分の物になるとは、それが己の彩りとなり、情緒となることであって、その段階を経て創造として或は目の前の取組に使えるということではないでしょうか。それは前頭葉を使って可能となることなのでしょう。

ゆえに、俗にいう集中力が必要となる、ということでしょう。それが個性であり人そのものでもあり、ミケランジェロもバッハも、そして運慶や快慶なども皆そのような世界を有していたということでしょうし、先が読めるということや、より感性が働くということもその種のことであろうと思われます。

横山大観の絵に「訪友」という作品があり、人里離れた地に住む友を訪ねる中国の故事によるものといいます。が、この絵のように人里離れた地に住む人がいる、その友を遥々訪ねる人がいるとは、物資的自然では考えられないのではないでしょうか。何を思っての暮らしか、世捨て人であるのかないのか。そして、訪ねる思いとは、等々仏教的自然の世界でないと描けないテーマであろうと思われます。が、大正の時代このようなことが画題になったのです。

対して百年後の現代とは……。一言で、人心の劣化以外の何ものでもないのではないか、と案じられるのです。心の問題が全てですらあろうと。

岡潔の『春風夏雨』の中には「六十年後の日本」という項があり、次のようなことが記されています。「人というものがなによりもたいせつ……人という存在の内容が心であり、心が幼いころに育てられるとすれば、とりわけ義務教育が大切で……人が生まれるのは大自然が人をして生ましめている……三歳児の四割までが問題児……これを直すには……戒律を守らせる教育……国の心的空気を清らかに保って……男女の性の問題……これらの点を十分つとめても、六〇年後には日本に極寒の季節が訪れることは、今となっては避けられないであろう……もし転落し始めたら、今度こそ国の滅亡が待つばかりであろう」

『春風夏雨』は一九六五年の書ですので、今やその六〇年後に近い時期となります。そして現在、先行きに対してそのような危惧すべき状況であることを、大方が感じているのではないでしょうか。また、不安に感じる現状をもたらす要因として、人々の心の在り方が益々変わっていくことに対する恐れのようなことも、感じ合うところでしょう。心をそのように仕向けたのは、人を人たらしめる社会という場の価値観であると思われます。

よく「今の若い子は」といいますが、その種のことは漱石の本にも出てきているほどで、今に限ったことではありません。当人たちはその様に自らなっているのではなく、社会がそのような若い子を生み出しているのです。その意味で、所詮、人は誰しも時代の子です。

ならば、そのようなことをもたらしている要因として考えられる、特に先進国社会の経済を支えている、資本主義経済というシステムが、問われそうな状況です。

それには、資本主義経済そのものに問題があるのか、その運用に錯誤があるのかの検証も必要でしょう。先進国といわれる国のほとんどはこのシステムであり、経済発展という旗印のもと、生活の向上を謳いユートピアへと誘導してきました。が、実体は夢の先取りという虚構のもとひた走っただけであり、気がついてみればその多くの国々が財政問題で悩んでいるというのが実態であるでしょう。国のリーダーは予算の先取りをして選挙民にいい顔をしてきた結果であり、全て右肩上がりで推移するという、虚構的ユートピアのもと走ってきた我々自身の欲望的誤解によるものではなかったでしょうか。

現在、世界中の借金の額は返済困難とさえいわれる程のものです。利益優先、効率優先は格差社会を生み、格差が開くほど犯罪が多くなるという社会にしてしまったように思えてなりません。狡賢（ずるがしこ）いほど有利な立場を得られるという社会は、人心を蔑ろにする状況をつくってきてしまいましたし、フェイクニュースは社会を混乱させ、心はますます荒んでいっているのです。

岡潔が多くの本を世に出した時期から概ね六〇年が経ちます。そこでいっていることに対しては賛否あるとしても、六〇年経った今日に至っても未だ改めることができなかった人の位置ということを、不安をもって感じるのです。

現実は、さらに悪くなっているということです。六〇年前でも、今改めないと取り返しがつかなくなる、といわれていたことを思えば、六〇年分の劣化が積み重なった今となっては、本当に立て直しが難しいかもしれないという状況にあるのではないでしょうか。更に、その劣化の度合いに加速度がついていると感じる人も多いのではと思われます。

「我々の文明を現在のやり方で進めた場合、対応できるエネルギーは一〇〇年程度であろう」といわれていた時期から時間が経っているにもかかわらず、現在、エネルギー問題が話題の先端にある訳ではありません。が、エネルギーの心配がないわけではなく、いずれは、そのエネルギーの取り合いや枯渇の先延ばしに戦々恐々となることが予想されます。そして、そのようなことを考慮しても、人類の文明は三〇〇年も持たないのではないかと危惧してしまうのです。

それは、画期的なエネルギーを手に入れることができたとしても、人心の乱れによる社会体制の維持が困難になることの方が、大きな問題になるであろうとの危惧からです。

例えば、検事長が賭け麻雀をしていたとか、法務大臣経験者が逮捕されるとかは、社会秩序の末期的症状といえるでしょう。しかも、「不正な行為は一切していない」とは、確信犯とも思えてしまいます。これで社会をどう維持していくのでしょうか。これまでも、限りなく黒に近い灰色が上書きされる如く過去になっていく現状でした。時は、この方向に刻んでいるのです。

野党がまとまれないのは守備範囲が広いからでしょう。与党はその逆を利に変えて独裁化をしている状況と映りますが、そのような状況が長く続くほど組織力は無くなっていくのが実態です。世界の国々も微妙なバランスを保っている状態であるのはこれまで見てきた通りです。国が経ちいかなくなる事情はそこかしこにある、という現在であれば、先行きの見通しは暗くなります。

何時どの様にすれば平安への切り替えができるのか。この種のリーダーは本来政治家であろうと思われますので、利権の要にいる立場で向上型循環の方向に舵を切って欲しいところです。私利私欲は消滅の方向です。票に繋がらないことや、知りたくない真実に溢れている現状打開は魅力的には映らないでしょう。が、視点を変えると、時代を変えたというより、人類滅亡の危機を救った世界史上の大人物ともなるのですから、忖度をそちら側に向けてほしいところです。

社会全体も、目先に囚われ刹那的であり、展望が描けないでいるように感じる状態では、絶望を思わせます。政治家のいう「選挙で選ばれた」は、選挙離れが招いているのです。

近年、私たちの生活はAIに取って代わられるのではないか、といわれていますが、ここで見たように、AIができるのは、人でいえば側頭葉から前頭葉を使った記憶・判断・創造までででしょう。頭頂葉で受けた無差別智の光りが前頭葉を照らして生まれるという創造は、人の分野のことであって、ロボットにはできない相談です。逆に、機械的な記憶・判断に関しては、その量・速さ・正確さまでロボットには遥かに適いません。また、より高度なディープ・ラーニング（深層学習）といわれている世界もあり、人の側の創造が小手先であれば、人の行う創造とは違うけれども、AIの方が良いものを作り出すことはあるものと思われます。

人の位置や特性を考えると、人は万物の霊長ともいえるでしょう。そのような立場にいる人類の役割とは何か。とは、平たくいえば、向上心を持って目前のことに取り組み、共生の気持ちのもとそれぞれの立場で精進していく、ということが基本であろうと思われます。誰であれ、何であれ、一途な姿は美しいのです。その繰返しが、より良い社会、より良い自然をもたらすに違いありません。

譲位に伴っての上皇や天皇陛下のお言葉も「国民の幸せと国の発展、世界の平和」です。

そして、それぞれの立場で、この種の世界の理解のもと、向上性、循環性ある取り組みを求め続けたとき、充実感ある人類社会の展開があるものと思います。

ベートーベンの交響曲第9番は歓喜の歌といわれる如く、生きていることの素晴らしさを讃えています。特に第4楽章は、それぞれが精一杯生きている姿の素晴らしさを讃歌しているように響き、感動的です。が、そのような曲はベートーベンの創造性から生まれたものなのです。

二〇〇年経った今でも、年末の日本中のホールを魅了してしまうほどの力があるのが創造力です。更に、それを聞いて感動し位置を上げていくのが人であり、そのようなことの繰返し、広まりは、場である環境を変え、自然をも変える力になっていくものと思われます。

岡潔のいう「大自然は情緒を自然という現象によって表現しているらしい。大自然の造化力といわれているものは、実はこの表現力であろう」という指摘は大変貴重で、私たちはその大自然に教えを乞いつつ、その自然に勝るとも劣らない創造に取り組むべきなのではないでしょうか。そのためには神の座・霊性の座といわれる頭頂葉が働くようにしておかなければなりません。

「大自然の造化力」とは、「世界の自然遺産」や「絶景」といわれているものに限らず、あらゆる生命の棲息にも感じられ、NHKの「ダーウィンが来た」や「プラネットアース」「生命」等々からも、そのようなことが伝わってきます。

例えば、どんな動物にもいえる健気なほどの子育て、チームワークでの狩り、つがいの成立過程……。そして、気候との共生は植物においておや、です。それらのどれもこれも、己の判断でやっているというより、そのようにするべき属性を持ちそのように仕向けられて熟しているように、思えます。ならば、そのように仕向けている存在とは何か。それが大自然の理法であって、「情緒を自然という現象によって表現している」ということであろうと思われるのです。

そのようなことを感じ取り、その種のことの一助に加われる創造ができて初めて、向上性ある宇宙の継続に係わる宇宙人としての生き方ができるということではないでしょうか。つまりはそれが、人の存在理由であろうと思われます。

ということは、自然の摂理を理解し、それに適ったものを更に高めることに如何に貢献できるかということが、宇宙人としての生き方がどこまでできるかに繋がるものといえるでしょう。い い換えると、宇宙の優性遺伝子支配を高めることに如何に加われるか、です。

岡潔のいう自然の雄大さとは、自然遺産や絶景、生命、等々には人を魅了してしまうほどの力がある、ということに現われているそのような力のことと思われます。それらは創造主の創作力であるのでしょう。それを思えば、人の伸び代は無限であるといえそうです。私たちは、文明を、文化を、再構築するほどの気概で取組み直しをしない限り、継続性ある人類社会の樹立は望めないのではないか、というところにきているように思えてなりません。

そのとき、強い決意をもって臨まなければ、ＡＩにも太刀打ちできなくなるのは流れでもあるでしょう。それは人類の滅亡というより、自滅への道ですらあります。全ては心の在り方に係わっているのです。

歴史は、生命は過去に何度か絶滅の危機に直面したことがあるといいますが、現代という時代は、その何回目かに当るのではないかと危惧されます。現在の人類は、宇宙・自然にとってなくてはならない存在には、なっていないでしょう。

無辺光を頭頂葉で受け、前頭葉で創造に活かすことのできる立場として存在した人には、それを使った役割が期待されて使わされているのであろうと思われます。が、使い方を誤ると個に籠り、個を振りかざし、継続性のない社会をつくってしまうことにもなり、そこが、人が宇宙・創造主から試されているところではないでしょうか。

ならば、向上も滅亡も、偏に人自身に係わっているということになります。それが人にとっての課題であり、克服できてこその向上であり、永遠性でしょう。そして、それでこそ創造性が発揮できる立場を生かした役割を熟せるということです。また、大自然の造化力といわれる表現力に寄与できる位置になれたとき、宇宙・自然は人の存在を認めるでしょう。アメリカの科学誌は、二〇二〇年一月「終末時計」を「残り100秒」と発表しました。

今や世界中が虚構の極みの状態です。そういう私たち自身も、同時代人であるならば多かれ少なかれその一員であるのです。生き残れるとすれば、核を使わなかったとして、そのような文明に無関係な未開の民族とその自然のみであったとき、これまでの人類のしてきたことは何であったのであろうかと、唖然となります。

とは、「はじめに」に記した如く、まさに、私たちがより豊かに、より楽しくと築いてきた文明の方向に誤りがあったことに他なりません。今の私たちには、宇宙からの監視衛星によって、軍備や通信、交通等々をコントロールすることにしのぎを削る余裕はないのです。宇宙からの視点に早急に切り替えるべきは、私たち自身の存在意義の把握です。

今や遅しの感もあるものの、その種のことに気付けたことに感謝をしつつ、早急に視点の切り替えをしなければならない状況です。それが「人類滅亡からの脱却」の第一歩といえるでしょう。

おわりに

私が中学生のとき、先生が「今年の文化勲章の受章者に、岡潔という数学者で奇人といわれる人がいる」と話されたことを覚えています。高校生のとき、この岡潔が新聞に連載していた『春宵十話』が単行本として出版されました。その後の同種の本を含め、数冊を読んだのが二十歳前後の頃でした。

若いときは現代ものや欧米風の文化に憧れる面もありましたが、どこかで和風に対する捨てがたい気持ちも続いていました。建築の世界に入ると、やがて、その和風をやりたいという志向が強くなり、その種の設計に係われるような道を歩んできました。日本の伝統的な建築について学ぶセミナーに参加し、十年程の間に奈良や京都にも度々行きました。

一九九五年という年は、阪神淡路大震災があり、オウム真理教によるサリン事件があり、地下鉄日比谷線の脱線事故があり、という年でした。が、個人的にも、ヨーガや自然の摂理などを学ぶ会への参加を始め、また、住んでいる幹線道路に面したマンションのベランダでは、人の背丈ほどになった鉢植えのポトスに小鳥が巣を作りひなが孵ったという、普通には考えられないような不思議ともいえる巡り合せがいくつか在りました。

このころから、宇宙や生命、自然の摂理などに気が向くようになり、岡潔も心のどこかに現われ始めました。読む本も、例えば『地球生命圏』とか、『自己組織化する宇宙』『混沌からの秩序』『タオ自然学』『すばらしき土壌圏』『生命の暗号』『意識と脳』、或は東洋思想やユング等、巻末の参考図書に挙げたような傾向になりました。

いつしか、それらバラバラと思えたいろいろな分野が、一つの捉え方のもとにまとまるようになってきました。そのような立場から宇宙の成立ちを考えたとき、有形宇宙は存在してこその宇宙である、と思えるようにもなったのです。

それは、一つの個が相対との間で反応し合うことによって界を成立させる、ということを基本としているのであろうという捉えです。ザックリいえば、そのようなことを可能とすることが、自然の摂理として現われているのであろうとも思われるのです。

例えば、時間の矢が一方向なのもそれです。が、存在するからにはそれなりの理由もある筈、という疑問が、その界を更に深め広げることに誘導してくれてもいるのでしょう。そのようなことを考えると、人にも何らかの役割が与えられているように思えるのです。

で、現状をみたとき、私たちの世界は混乱の中にあり、現在を維持継続するだけでも困難を覚悟すべき状況にあるといえるでしょう。その基本は心の劣化にあると思われます。明治の時代はどうであったであろうかとか、万葉の時代はと思うと、その違いが感じられるのではないでしょうか。それは、多くの先進国に於いても同じような問題であるでしょう。

これは、人の存在意義以前の問題です。

その様な状況下にあり、盲目的になっている私たちに気付きを与えてくれたのが、新型コロナウイルスではないかとも思われます。私たちにとって大切なことは何か、文明の在り方はこれで良いのか、と訴えているように思います。また、異常気象の連続なども輪をかけています。

そのとき、改める方向の是非を確認する拠り所になるのが、自然の摂理であるでしょう。私たちは、自然の中に生きているのですから。空気や水やエネルギーがあって生きられるのです。人は地球に棲息し、太陽があることで生き続けられています。

そしてより具体的には、そのことを続けて継続性があるかどうかですし、向上の方向に進むことができると思えることが、より良いことであるといえるでしょう。

そのような立場にたって太陽光を考えたとき、その利用効率を上げることができるならば、それだけで私たちの生活は一辺するでしょう。いい方を変えると、太陽光の翻訳力を上げる、ということです。翻訳力とは心の働きです。

太陽光は無限の情報をもたらしてくれています。例えば、太陽光発電の効率を数倍にできたなら、ですが、それは、心の働きの位置を上げることで可能でもあるでしょう。現に、数倍にする取組をしている人達がいます。

人心の乱れを考えたとき、私たちの文明を立て直すことは困難では、とも思えますが、心の位置を上げることで違う価値観の世界が見えてくるならば、希望を持たせてもくれそうです。

この先、人類の行く末がどのようであるかは、私たちの心の持ち方に係わっているということでしょう。改めて、コロナ以降の新たな価値観を問う書でもあります。

以上の様な世界に触れることができたのは、日本ヨーガ学会会長の田原豊道先生、理事長の荻山貴美子先生、生体エネルギー研究所所長の佐藤政二先生ほか、多くの人とのご縁のもと多くのことを学ぶことができたことによります。感謝申し上げます。また特に、仏教的自然の理解には、岡潔の本との巡り合せがあったればこそといえるほどでした。

ここに記してきたことは、そのような中から、ささやかながら描いた宇宙観・生命観をまとめてみたものです。これまで一緒に勉強し仕事をしてきた人達や、家族も含めた全ての人や巡り合せに感謝、感謝です。

そして、出版計画から編集にあたって尽力して下さった福島茂喜氏、出版を引き受けて下さった遊行社の本間千枝子氏にも感謝申し上げます。

多くの方にとっての示唆の一つとなり、次なる文明の在り方を考えるとき、何らかの役に立つことができれば望外の喜びです。

参考図書

――はじめに

『沈黙の春』レイチェル・カーソン、青樹簗一訳、新潮社、S49・2
『成長の限界』ドネラ・H・メドウズ、デニス・L・メドウス、ジャーガン・ラーンダズ、ウィリアム・W・ベアランズⅢ世著、大来佐武朗監訳、ダイヤモンド社、S47・5
『不都合な真実』アル・ゴア、枝廣淳子訳、ランダムハウス講談社、2007・1
『ホモ・デウス』ユヴァル・ノア・ハラリ、柴田裕之訳、河出書房新社2018・9

――Ⅰ

『免域「自己」と「非自己」の科学』多田富雄、NHK人間大学講座テキスト、日本放送出版協会 1998・1
『理科年表』国立天文台、丸善
『生体物質とエネルギー』丸山工作、岩波書店、1992・11
『からだの構造と機能』A.シェフラー、S.シュミット著、三木明徳、井上貴央監訳、西村書店、1998・1
『視覚でとらえるフォトサイエンス生物図録』鈴木孝仁監修、数研出版編集部編、数研出版、H12・2、
『視覚でとらえるフォトサイエンス化学図録』数研出版編集部編、数研出版、H10・2、
『視覚でとらえるフォトサイエンス物理図録』数研出版編集部編、数研出版、H18・12、
『安保徹　病気にならない人の免疫の新常識』案保徹、永岡書店、2007・6

『ブッダの宇宙を語る華厳の思想上下』竹村牧男、NHKこころの時代テキスト、日本放送出版協会、2002・4
「広辞苑」岩波書店、第二版、S30・5
『生命の奇跡』柳澤桂子、PHP研究所、1997・7
『根の活力と根圏微生物』小林達治、農山漁村文化協会、1986・2
『土の構造と機能』岡島秀夫、農山漁村文化協会、1989・6
『土と内臓』デイビッド・モントゴメリー＋アン・ビクレー、片岡夏実訳、築地書館、2016・11
『腸内革命』藤田紘一郎、海竜社、2011・9
『これだけは知っておきたい図解細胞周期』江島洋介、オーム社、H19・10
『シッダールタ』ヘルマン・ヘッセ、高橋健二訳、新潮社、1959・5

――Ⅱ

『生命とは何か』E・シュレーディンガー、岡小天、鎮目恭夫訳、岩波書店、1951・8
『唯識十章』多川俊映、春秋社、1989・4
『生命と地球の歴史』丸山茂徳・磯崎行雄著、岩波書店、1998・1
『固体地球』濱田隆士、(財)放送大学教育振興会、1996・3
『意識と脳』品川嘉也、紀伊国屋書店、1982・12
『日本民族』岡潔、月刊ペン社、S43・12
『葦牙よ萌えあがれ』岡潔、心情圏、S44・6
『サピエンス全史』ユヴァル・ノア・ハラリ、柴田裕之訳、河出書房新社、2016・9
「週刊ダイヤモンド」(そうだったのかピケティ『21世紀の資本』)、ダイヤモンド社、2015・2
『アメリカ帝国衰退論序説』中西輝政、幻冬舎、2017・8

―――Ⅲ

『建築代謝論　か・かた・かたち』菊竹清訓、彰国社、1969（2008彰国社より復刻版）

『微生物が地球をつくった』ポール・G・フォーコウスキー、松浦俊輔訳、青土社、2015・10

『図説インド神秘事典』伊藤武、講談社、1999・11

『南方録』久松真一校訂解題、淡交社、S50・5

「淡交別冊・茶室」三田文子、西和夫、中村昌生、小川後楽ほか著、淡交社、1993・1

『伊勢・日本建築の原形』丹下健三、川添登、渡辺義男著、朝日新聞社、1962・2

『宇宙から見る生命と文明』松井孝典、NHK人間講座テキスト、日本放送出版協会、2002・12

『地球システムの崩壊』松井孝典、新潮社、2007・8

『未来の年・人口減少日本でこれから起きること』河合雅司、講談社、2017・6

『植物は何を見ているか』古谷雅樹、岩波書店、2002・8

『ヨーガ・スートラへのいざない』田原豊道監修・荻山貴美子編著、日本ヨーガ学会、2016・4

『ヨーガの四季』日本ヨーガ学会機関誌、日本ヨーガ学会

『風土―人間学的考察』和辻哲郎、岩波書店、1935・9

『脳が心を生みだすとき』スーザン・グリーンフィールド、新井康允訳、草思社、1999・4

『植物の神秘生活』ピーター・トムプキンズ＋クリストファー・バード、新井昭廣訳、工作舎、1987・5

『世界は音ナーダ・ブラフマー』J・E・ベーレント、大島かおり訳、人文書院、1986・1

今ここにあるナーダ・ブラフマー：インターネット・ブログ「ブッディスト・モンクス／サキャ・タシ・リン・癒される場所」CDライナーノーツ

『春風夏雨』岡潔、毎日新聞社、1965・6

『紫の火花』岡潔、朝日新聞社、S39・6

―― その他

『古事記　上代歌謡』荻原浅男、鴻巣隼雄校注・訳者、小学館、1973・11
『土といのち――微量ミネラルと人間の健康』中嶋常允、地湧社、1987・11
『はじめに土あり――健康と美の原点』中嶋常允、地湧社、1992・11
『すばらしき土壌圏――この知られざるいのちの宝庫』八幡敏雄、地湧社、1989・11
『地球とヒトと微生物』山中健生、技術評論社、2015・5
『生物界をつくった微生物』ニコラス・マネー、小川真訳、築地書館、2015・11
『植物生理学入門（改訂2版）』増田芳雄監修、山本良一・櫻井直樹共著、オーム社、1988・2
『植物の生と死』江刺洋司、平凡社、1997・12
『生体電気信号とはなにか神経とシナプスの科学』杉晴夫、講談社、2006・7
『生命のストラテジー』松原謙一・中村桂子、岩波書店、1990・5
『美しい人体図鑑』梶原哲郎監修、笠倉出版社、2013・2
『易経上下』高田真治、後藤基巳訳、岩波書店、1969・6
『易の話『易経』と中国人の思考』金谷治、講談社、2003・9
『生命のリズム――あなたのからだの神秘な時計』V・A・ドスキン、N・A・ラヴレーチェヴァ、秦正氏・逆井克仁訳、水曜社、1985・5
『人は周期の法則で動かされている』飛岡健、河出書房新社、1996・8
『地球生命圏―ガイアの科学』ジム・ラブロック、スワミ・プレム・プラブッタ（星川淳）訳、工作舎、1984・10
『生命と地球の共進化』川上紳一、日本放送出版協会、2000・5
『生物と無生物のあいだ』福岡伸一、講談社、2007・5
『動的平衡生命はなぜそこに宿るのか』福岡伸一、木楽舎、2009・2

『生命この宇宙なるもの』フランシス・クリック、中村桂子訳、思索社、1982・9
『生命の暗号ーあなたの遺伝子が目覚めるとき』村上和雄、サンマーク出版、1997・7
『唯識の心理学』岡野守也、青土社、1999・4
『「唯識三十」を読む唯識の探求』竹村牧男、春秋社、H4・4
『龍樹』中村元、講談社、2002・6
『三つの脳の進化』ポール・D／マクリーン、法橋登編訳、工作舎、1994・11
『タオ自然学』F・カプラ、吉福伸逸＋田中三彦＋島田裕巳＋中山直子翻訳、内田美恵＋十川治江編集、工作舎、1979・11
『生命潮流』ライアル・ワトソン、木幡和枝、村田恵子、中野恵津子訳、工作舎、1981・11
『自己組織化する宇宙』エリッヒ・ヤンツ、芹沢高志＋内田美恵訳、工作舎、1986・9
『混沌からの秩序』I・プリゴジン、I・スタンジェール、伏見康治、伏見譲、松枝秀明訳、みすず書房、1987・6
『波動の法則ー宇宙からのメッセージ』足立育郎、ナチュラルスピリット、2007・3
『ガイア［蘇る地球生命論］』ローレンス・E・ジョセフ、竹内均監修、高柳雄一訳、TBSブリタニカ、1993・12
『ニンジンから宇宙へ』赤峰勝人、なずな出版、1993・10
『宇宙史の中の人間』海部宣男、岩波書店、1993・3
『宇宙のしくみ』磯部琇三、日本実業出版社、1993・5
『宇宙は何でできているのか』村山斉、幻冬舎、2010・9
『量子力学入門—現代科学のミステリー—』並木美喜雄、岩波書店、1992・1
『量子力学とはなんだろう』長岡洋介、岩波書店、2003・3
『量子論』板倉龍、ニュートン・ムック、ニュートンプレス、2012・7

『相対性理論の一世紀』広瀬立成、新潮社、2005・2
『我関わる、ゆえに我あり』松井孝典、集英社、2012・2
『リグ・ヴェーダ讃歌』辻直四郎訳、岩波書店、1970・5
『バガヴァッド・ギーター』上村勝彦訳、岩波書店、1992・3
『ヨーガ根本経典、続ヨーガ根本経典』佐保田鶴治、平川出版社、S48・3
『ヨーガとこころの科学』スワミ・シバナンダ、小山芙美子訳編、東宣出版、H9・6
『ヨーガを始める人のために』田原豊道監修、荻山貴美子編著、池田書店、2003・8
『倍音──音・ことば・身体の文化誌』中村明一、春秋社、2010・10
『今の音昔の音』遠山一行、講談社、2000・10
『水の役割と機能化』川瀬義矩、工業調査会、2007・12
『水の神秘科学を超えた不思議な世界』ウェスト・マリン、戸田裕之訳、河出書房新社、2006・5
『エレファントム』ライアル・ワトソン、福岡伸一、高橋紀子訳、木楽舎、2009・6
『思考する豚』ライアル・ワトソン、福岡伸一訳、木楽舎、2009・11
『細胞から若返る！テロメア・エフェクト』エリザベス・ブラックバーン、エリッサ・エペル、森内薫訳、NHK出版2017・2
『タオイズムの風アジアの精神世界』福永健二、人文書院、1997・4
『老荘を読む』蜂屋邦夫、講談社、1987・2
『易のはなし』高田淳、岩波書店、1988・6
『道教と日本文化』福永光司、人文書院、1982・3
『易と日本の祭祀』吉野裕子、人文書院、1984・11
『陰陽五行と日本の天皇』吉野裕子、人文書院、1998・3
『陰陽五行と日本の文化』吉野裕子、大和書房、2003・4

『能と唯識』岡野守也、青土社、１９９４・10
『能と茶の湯』種田道一、淡交社、２００２・５
『能・狂言図典』小林保治、森田拾史郎編、小学館、１９９９・７
『中世の儒学』和島芳男、吉川弘文館、Ｓ40・３
『概説日本思想史』佐藤弘夫編集委員代表、ミネルヴァ書房、２００５・４
『夜船閑話―白隠禅による健康法―』荒井荒雄、大蔵出版、１９９６・１
『共時性の宇宙観―時間・生命・自然』湯浅泰雄、人文書院、１９９５・７
『ユング心理学入門』河合隼雄、培風館、Ｓ42・10
『生き方』稲盛和夫、サンマーク出版、２００４・８
『「利他」人は人のために生きる』瀬戸内寂聴、稲盛和夫、小学館、２０１１・12
『春宵十話』岡潔、毎日新聞社、１９６３
『中心感覚』内海泰満、サンマーク出版、１９９９・12
『新・医者が学んだ祈りの力―完璧な「自然治癒力」・免疫力を「千島学説」で解く』小松健治、遊行社２０２０・２
『放射線ホルミシスで健康長寿』中村仁信、安保徹、清水教永著、実業之日本社、２０１６・11
『無限との共鳴こころの共鳴が生命を癒す』渋谷直樹、同朋舎、１９９７・７
『想造力～不可能を可能にする生体エネルギー～』渋谷直樹、渋谷和嘉子、文芸社、２０００・９
『土と水と電気の能力を上げる奇跡の技術』宮崎啓士、サイゾー、２０１４・８

石山 和男　いしやま かずお

昭和20年生まれ、建築家。中学・高校時代に数学者・岡潔の著作を手始めに、欧米文化への憧れの一方で和風への志向を強め、建築の世界に入って日本の伝統的な建築を学ぶ。1990年代からヨーガや自然の摂理に関心を強め、宇宙・生命への探求のため『地球生命圏』『自己組織化する宇宙』『混沌からの秩序』『タオ自然学』『すばらしき土壌圏』『生命の暗号』『意識と脳』など先人諸賢の著作に没頭、東洋思想やユング等にも影響を受ける。この間、日本ヨーガ学会会長の田原豊道、理事長の荻山貴美子、生体エネルギー研究所所長の佐藤政二の各氏からも多くのことを学ぶ。こうした様々な思想に触れるうち、次第に自分なりの一つの捉え方がまとまり始め、混乱する世界の中で人類の滅亡を救う道への思いを強めている。

人類滅亡からの脱却

継続性ある社会のために

2020年8月7日　初版第1刷発行

著　者　石山　和男
発行者　本間　千枝子
発行所　株式会社遊行社

〒160-0008 東京都新宿区四谷三栄町5-5-1F
TEL　03-5361-3255
FAX　03-5361-1155
http://yugyosha.web.fc2.com/
印刷・製本　モリモト印刷株式会社

ISBN978-4-902443-54-7
乱丁・落丁本は、お取替えいたします。